অন্য নীড়

নিমাই ভট্টাচার্য

দে'জ পাবলিশিং
কলকাতা ৭৩

ANYA NEER
A Bengali Novel by NIMAI BHATTACHARYYA
Published by Sudhangshu Sekhar Dey, Dey's Publishing
13, Bankim Chatterjee Street, Kolkata 700 073
Phone : 2241 2330, 2219 7920 Fax : (033) 2219 2041
e-mail : deyspublishing@hotmail.com
₹ 100.00

ISBN 978-81-295-1175-1

প্রথম প্রকাশ : জানুয়ারি ২০১১, মাঘ ১৪১৭

প্রচ্ছদ : রঞ্জন দত্ত

১০০ টাকা

প্রকাশক : সুধাংশুশেখর দে, দে'জ পাবলিশিং
১৩ বঙ্কিম চ্যাটার্জি স্ট্রিট, কলকাতা ৭০০ ০৭৩
বর্ণ-সংস্থাপনা : দিলীপ দে, লেজার অ্যান্ড গ্রাফিকস
১৫৭বি মসজিদবাড়ি স্ট্রিট, কলকাতা ৭০০ ০০৬
মুদ্রক : সুভাষচন্দ্র দে, বিসিডি অফসেট
১৩ বঙ্কিম চ্যাটার্জি স্ট্রিট, কলকাতা ৭০০ ০৭৩

শ্রীশ্রীমা সারদার
শ্রীচরণে নিবেদিতপ্রাণ
ডাঃ কে. ডি. ঘোষ
পরম প্রিয়জনেষু

লেখকের অন্যান্য বই

বংশধর
আমার ঊর্মি
আমি রিনা সেন
মেমসাহেব
পাঁচটি রোম্যান্টিক উপন্যাস
চীনাবাজার
স্বপ্নভঙ্গ
এক চক্কর দক্ষিণ পূর্ব এশিয়া
ফুটবলার
কেয়ার অব ইন্ডিয়ান এম্বাসী
শেষ পারানির কড়ি
বিশেষ সংবাদদাতা প্রেরিত
রাজধানী এক্সপ্রেস
রাজধানীর নেপথ্যে
অনেকদিনের মনের মানুষ
পিকাডিলি সার্কাস
ডিফেন্স কলোনী
পার্লামেন্ট স্ট্রিট
সাব-ইনস্পেক্টর
লাস্ট কাউন্টার
উইং কমান্ডার
প্রবেশ নিষেধ
শ্রেষ্ঠাংশে
সেলিম চিস্তি
ভি আই পি
ভালোবাসা
ডিপ্লোম্যাট
অ্যালবাম
এডিসি
গোধূলিয়া
রিটায়ার্ড
পেন ফ্রেন্ড অ্যান্ড ক্লাস ফ্রেন্ড
আকাশভরা সূর্য তারা
এরাও মানুষ
ওয়ান আপ টু ডাউন
রাঙা বৌদি
অন্তর্ধান
তেরোটি উপন্যাস
ত্রিধারা
কামিনীবালার গলি
এই আমি সেই আমি

বিপ্লবী বিবেকানন্দ
আমার তানিয়া
পরের ঘরে আপন বাসা
মহাজাগরণ
সূর্যোদয়
জার্নালিস্টের জার্নাল
বাঙালীটোলা
ইন্দ্রাণী
ঈশানী
অনুরাগিণী
অধ্যাপিকা
পিয়াসা
গল্পসমগ্র — ১ম / ২য়
আগমনী
ফুটপাত
প্রতিবেশিনী
রুদ্রাণী
শ্রাবন্তী
ভরা থাক স্মৃতি সুধায়
ভবঘুরে
ভদ্দরলোক
পূজাস্পেশাল
প্রবাসী
ডার্লিং
সদরঘাট
প্রথম নায়িকা
চেক পোস্ট
উর্বশী
বন্দিনী
বৌবাজারের বৌদি
তিন কন্যা
রাগ আশাবরী
ডাকাত বাড়ির নেমন্তন্ন
তুলনাহীনা
আমাদের ভারত
ওগো বিদেশিনী
স্বপনচারিণী
অকাল বসন্ত
পঞ্চাশটি প্রিয় গল্প
দশটি উপন্যাস
চারটি উপন্যাস

মাতাল
একান্ত নিজস্ব
মোগলসরাই জংশন
অ্যাংলো ইন্ডিয়ান
হরেকৃষ্ণ জুয়েলার্স
ম্যারেজ রেজিস্ট্রার
ইওর অনার
চিড়িয়াখানা
ইমন কল্যাণ
ইনকিলাব
প্রিয়বরেষু
ককটেল
নিমন্ত্রণ
তোমাকে
সোনালী
পুতুলদি
ম্যাডাম
রবিবার
রত্না
কেরানী
নাচনী
বন্যা
অসমাপ্ত চিত্রনাট্য
নিউমার্কেট
নিউ এম্পায়ার ক্লাব
স্বার্থপর
কয়েদী
প্রিয় গল্প
অদৃষ্টের খেলাঘর
নন্দিনী
নায়িকা পঞ্চবিংশতি
অষ্টাদশী
আনন্দপল্লি
মহুয়া
কালো হরিণ চোখ
ঈশানী
নতুন বউ
অবৈধ
আমরা দু'জনা
বেগম

অন্য নীড়

প্রথম পর্ব

এক

আজ ৫ জানুয়ারি ১৭৮০।

ও মাই গড! সেই কবে রওনা হয়েছিলাম আমার জন্মভূমি ইংল্যান্ড থেকে ক্যালকাটা যাব বলে। ভূমধ্য সাগরে পৌঁছেই মাথা ঘুরে গিয়েছিল। সাগরের পর সাগর পাড়ি দিয়ে কোনোদিন যে আরব সাগরকে বাঁ-দিকে রেখে ইন্ডিয়ান ওসানের দেখা পাব, তা ভাবতে পারিনি।

না, ওখানেই তো আমাদের যাত্রা শেষ হবে না। বে অব বেঙ্গলকে অতিক্রম করে সাগর আইল্যান্ডের পাশ দিয়ে ঢুকতে হবে হুগলী নদীতে। জাহাজ ওই নদীতে ঢোকার পরই দেখা পাওয়া যাবে জনপদের।

তবে হ্যাঁ, জাহাজ হুগলী নদীর মোহনার পর খুব বেশি দূর যেতে পারবে না। কুলপিতে পৌঁছে জাহাজ নোঙর করবে ; ওখান থেকে দেশি নৌকায় আমরা যাব ফলতা। ফলতায় আমরা রাত্রিবাস করব একটা ট্যাভার্নে। তার পরদিন মধ্যাহ্নের কোনো এক সময় ক্যালকাটার দক্ষিণাঞ্চলের খিদিরপুর।

ইন্ডিয়ান ওসানে পৌঁছেই জাহাজের যাত্রীদের মুখে হাসি ফুটে ওঠে।

ফস্টার!

ইয়েস বব।

এখন আমরা নিশ্চয়ই আশা করতে পারি, কয়েক দিনের মধ্যেই আমরা ক্যালকাটা পৌঁছব।

হ্যাঁ, নিশ্চয়ই আমরা আশা করতে পারি।

তাহলে একটু আনন্দ করা যেতে পারে, তাই না?

আমি হাসতে হাসতে বললাম, আমিও ঠিক এই কথাই ভাবছিলাম।

লাভলি!

বব সঙ্গে সঙ্গে পা বাড়িয়ে বলে, দাঁড়াও, ক্লারেটের বোতলটা নিয়ে আসি।

আসলে জাহাজের সব যাত্রীই যুবক ; কারুর বয়সই তিরিশ-বত্রিশের বেশি না। বব-এর বয়স চব্বিশ ; আমার বয়স ছাব্বিশ। সত্যি কথা বলতে কী দীর্ঘ সমুদ্র পথের বিভীষিকা আমরা ভুলতে পেরেছি, প্রধানত মদ্যপান করে। আমাদের জাহাজটি নেহাত ছোটো না ; তাছাড়া জাহাজের ক্যাপ্টেন হপকিনস্ ইতিমধ্যেই এই জাহাজ নিয়ে গত তিন বছর ধরে নিয়মিত ইংল্যান্ড আর ক্যালকাটার মধ্যে যাতায়াত করছেন। তবুও সীমাহীন উন্মত্ত সমুদ্রের মধ্যে আমাদের জাহাজকে ছোট্ট একটা কাগজের নৌকাও মনে হত না। প্রতি মুহূর্তে মৃত্যুর হাতছানি অনুভব করতাম। এইরকম সংকটে মদ্যপান না করে উপায় ছিল না।

হঠাৎ ক্যাপ্টেন হপকিনস্-এর চিৎকারে সম্বিত ফিরে এল।

ফ্রেন্ডস্, উই হ্যাভ রিচড আওয়ার ডেস্টিনেশান, দিস ইজ কুলফি। কান্ট্রি বোটস্ আর ওয়েটিং ফর ইউ।

জাহাজ থেকে নীচে নেমেই মাথা ঘুরে গেল। চারদিকে ঘন জঙ্গল, পায়ের নীচে এবড়ো-খেবড়ো মাটির রাস্তা। ধুলো-বালি-কাদার রাস্তা দিয়ে খানিকটা যাবার পরই একটা সরাইখানা পাওয়া গেল। নানারকম গাছপালা-লতাপাতা দিয়ে তৈরি সরাইখানার ঘরের ভিতরে ঢুকে দেখলাম, অনেকগুলো বেঞ্চি আর লম্বা লম্বা টেবিল পাতা।

জাহাজের যাত্রীরা ভিতরে ঢুকতেই ময়লা ট্রাউজার আর শার্ট পরা কর্মচারীরা হাসি মুখে আমাদের অভ্যর্থনা জানায়, বার বার সেলাম দেয়। যাইহোক ওদের হাসি মুখ আর আন্তরিক অভ্যর্থনা আমাদের ভালোই লাগল।

স্যার, সাপার?

ইয়েস, ইয়েস।

স্যার, চিকেন, মাটন, বেকন, ব্রেড, স্যালাড — ও. কে?

আমরা সবাই হাসি মুখে চিৎকার করে বললাম, ইয়েস, ইয়েস! ও. কে।

ওই সরাইখানার নোংরা ট্রাউজার-শার্ট পরা ছেলেরা যে এত ভালো

রান্না করেছিল যে আমরা সবাই রীতিমতো পেটুকের মতো চিকেন-মাটন-বেকন আর রুটি খেলাম। এইসব খাবারের সঙ্গে ছিল আমাদের নিজেদের আনা ক্লারেট।

একে পেটুকের মতো খাওয়া, তার উপর আকণ্ঠ ক্লারেট পান করে আমরা দেশি নৌকায় গিয়েই অঘোরে ঘুমিয়ে পড়লাম। অন্য নৌকার যাত্রীরাও ঠিক আমদেরই মতো ঘুমিয়ে পড়লেন।

কখন ভাঁটার টান শেষ হল, শুরু হল জোয়ার, সেসব কিছুই জানতে পারলাম না। জানতে পারলাম না, জাহাজের অন্য সহযাত্রীরা ঠিক ঠিক নৌকায় উঠেছে কিনা। আমি শুধু জানি, আমার প্রিয় বন্ধু লঙ-এর পাঠানো নৌকায় উঠেছি কিন্তু জানতে পারলাম না, কখন জোয়ারের টানে নৌকা যাত্রা শুরু করেছে।

যে যাই বলুক, মদ্যপানের অনেক গুণ। মদ্যপান ভুলিয়ে দেয় অনেক দুঃখ-কষ্ট, দিন-রাত্রির পার্থক্য, অপছন্দের পরিবেশ। তাইতো আমি এই নৌকাযাত্রার বিরক্তিকর পরিবেশ আর একঘেয়েমির কিছুই টের পেলাম না। তুরীয় অবস্থায় থাকতে থাকতেই যে ডায়মন্ডহারবার আর ফলতা ছাড়াও বজবজ পার হয়েছি, তাও জানতে পারলাম না।

হঠাৎ চোখে-মুখে খুব কড়া রোদ্দুর পড়তেই একটু নড়েচড়ে উঠলাম। তারপর হঠাৎ কানে এল, সাহেব, আপ, আপ, গার্ডেনরিচ।

মাঝিরা বার বার গার্ডেনরিচ-গার্ডেনরিচ বলায় হঠাৎ চমকে উঠে বসি।

তখনও মাঝিরা দাড় বেয়ে নৌকা চালাচ্ছে দেখে বেশ বিরক্ত হয়ে গলা চড়িয়ে বলি, হোয়ার ইজ গার্ডেনরিচ?

যে মাঝি হাল ধরে ছিল, সে একটা হাত দিয়ে সামনের দিক দেখিয়ে একটু হেসে বলে, গার্ডেনরিচ! গার্ডেনরিচ!

উঠে দাঁড়িয়ে দেখি, হ্যাঁ, সত্যিই তো বেশ ঘরবাড়ি দেখা যাচ্ছে। বুঝতে কষ্ট হল না, ওই অঞ্চলটি ক্যালকাটার কাছাকাছি। এই দৃশ্য দেখে আমার যে কী আনন্দ হল, তা প্রকাশ করার ক্ষমতা আমার নেই। যে স্বপ্ন, যে আশা, যে সৌভাগ্যের প্রত্যাশায় সুদূর ইংল্যান্ড থেকে আসছি, সেই স্বপ্নপুরীতে প্রায় এসে গেছি?

নৌকা থেকে নেমে মাটিতে পা দিতে না দিতেই প্রিয় বন্ধু লঙ দু-হাত

দিয়ে আমাকে জড়িয়ে ধরে বলে, মাই গুড ওল্ড ফ্রেন্ড ফস্টার, ওয়েলকাম টু গার্ডেনরিচ অ্যান্ড ক্যালকাটা।

আমাকে কথা বলার সুযোগ না দিয়েই বন্ধুবর বলে, আই নো জার্নি ফ্রম হোম ওয়াজ অ্যাজ টিডিয়াস অ্যাজ এভার।

ইয়েস, ইয়েস, সত্যি দীর্ঘ একঘেয়েমি যাত্রা।

লঙ আমার দুটো হাত ওর দুটো হাতের মধ্যে নিয়ে হাসতে হাসতে বলে, মাই ডিয়ার ফ্রেন্ড, কিছু চিন্তা করো না, তোমার দীর্ঘ দিনের একঘেয়েমি আর বিরক্তি কাটিয়ে দেবার সব ব্যবস্থা করেছি।

রিয়েলি?

ইয়েস মাই ডিয়ার ফ্রেন্ড, আমার কথা যে বর্ণে বর্ণে সত্যি, তা তুমি একটু পরেই বুঝতে পারবে।

সামনে চারজন আর পিছনে চারজন — এই মোট আটজন আমাদের বিরাট পালকি নিয়ে প্রায় ঘোড়ার মতো ছুটছিল ; তাইতো নৌকাঘাট থেকে পনেরো-কুড়ি মিনিটের মধ্যেই বন্ধুর বাড়ি পৌঁছলাম।

পালকি থেকে নেমে বাড়ির সামনের বিরাট বাগান দেখে মুগ্ধ না হয়ে পারলাম না।

মাই গড! হোয়াট এ লাভলি গার্ডেন!

লঙ একটু হেসে বলে, এই জায়গাটা জঙ্গলে ভর্তি ছিল। তুমি বিশ্বাস করো, প্রায় দু-হাজার সিক্কা টাকা খরচ করে বাগান করেছি।

টাকাটা খরচ করে ভালোই করেছ ; বাড়ির সৌন্দর্য অনেক বেড়ে গেছে।

বাড়ির পিছনেও খুব সুন্দর বাগান করেছি।

আচ্ছা!

বারান্দা দিয়ে আস্তে আস্তে এগুতে এগুতে মিঃ লঙ বলেন, ফস্টার, ক্যালকাটার অন্য ইংরেজরা না জানলেও তুমি খুব ভালো করেই জানো, দেশে কী কষ্ট করেই জীবন কাটিয়েছি।

হ্যাঁ, খুব ভালো করেই জানি।

দুঃখ-কষ্টের জীবন থেকে মুক্তি পাবার জন্যই তো ইস্ট ইন্ডিয়া কোম্পানির অতি নগণ্য চাকরি নিয়ে এই দেশে এলাম।

তারপর?

সে দীর্ঘ কাহিনি ; পরে তোমাকে সব বলব। তবে জেনে রাখো, আমি ক-টা বছর অসম্ভব পরিশ্রম করে, কষ্ট করে অদৃষ্টের চাকা ঘুরিয়ে দিয়েছি।

তা তো তোমার বাড়িতে পা দিয়েই বুঝতে পারছি।

ফস্টার, আগে যত কষ্ট করেছি, এখন ঠিক তত আনন্দে থাকি।

সেটাই স্বাভাবিক।

বাড়ির মধ্যে পা দিতে না দিতেই শুরু হল কর্মচারীদের সেলাম দেওয়া।

আমি হাসতে হাসতে বলি, লঙ তোমার ক-জন কর্মচারী?

লঙ একটু হেসে বলে, ব্যস্ত হচ্ছ কেন? সপ্তাহখানেক আমার এখানে থাকলেই সব জানতে পারবে।

ও হাসিমুখে যে উত্তর দিল, তাতে রহস্যের ইঙ্গিত পেলেও কোনো প্রশ্ন করলাম না।

লিভিংরুম পার হয়ে দ্বিতীয় ড্রইংরুমে ঢুকেই লঙ ডান দিকের ঘরের দরজায় দু-একবার টোকা দিতেই দু-টি নেটিভ যুবতী দু-টি দরজা খুলে আমার দিকে তাকিয়ে হাসে।

লঙ হাসতে হাসতে আমাকে দেখিয়ে ওদের বল্লে, মাগি, আমার ছোটোবেলার বন্ধু ফস্টার সাত সমুদ্র তেরো নদী পার হয়ে আমার কাছে এসেছে। ও খুবই টায়ার্ড। ওকে খুব ভালো করে ম্যাসাজ করে চান করিয়ে দাও।

দুটি মেয়েই প্রায় একসঙ্গে বলে, ও. কে স্যার।

আমি অবাক হয়ে বলি, লঙ, কী বলছ তুমি? এই ইয়ং মেয়েরা আমাকে ম্যাসেজ করার পর চান করিয়ে দেবে?

ফস্টার, বিলিভ মি, মেয়ে দুটি সত্যি খুব ভালো। ওরা ক-টা দিন তোমাকে কী যত্নে আর আনন্দে রাখবে, তা তুমি ভাবতে পারছ না।

সঙ্গে সঙ্গে ওরা দুজনে আমার দুটি হাত ধরে ঘরের ভিতরে নিয়েই দরজা বন্ধ করে।

আমি জিজ্ঞেস করি, আমি তোমাদের কী বলে ডাকব?

আমি মাগি নাম্বার ওয়ান ; আর ওকে ডাকবেন, মাগি নাম্বার 'টু' বলে।

আমি অবাক হয়ে বলি, হোয়াট ইজ মাগি? মাগি মানে কী?

ওরা দুজনেই খিলখিল করে হেসে ওঠে ; তারপর একজন বলে, যে মেয়েদের সাহেবদের ভালো লাগে, তাদের আদর করে মাগি বলে ডাকা হয়।

মাই গড! ভেরি ইন্টারেস্টিং।

যাইহোক ঘরে ঢুকেই ওরা পটাপট আমার জামা আর ট্রাউজারের বোতাম খুলতে শুরু করে।

কী আশ্চর্য! সব খুলে ফেলছ?

একটা মেয়ে হাসতে হাসতে বলল, তা না হলে তোমার সারা শরীর ম্যাসাজ করব কী করে?

আমাকে পুরো উলঙ্গ করার পর ওরা আমার কোমরে তোয়ালে জড়িয়ে একটা খাটে শুইয়ে দেবার পর দুজনে দুটো পায়ের আঙুল থেকে উরু পর্যন্ত টিপতে শুরু করল। অস্বীকার করব না, খুবই ভালো লাগছিল।

তারপর?

হঠাৎ একটা মেয়ে এক টানে তোয়ালেটা সরিয়ে দিতেই শুরু হল আগের ঢেকে রাখা অংশে টিপে দেওয়া।

কী আশ্চর্য! ওরা শুরু করল, আমার যৌনাঙ্গ নিয়ে খেলা আর চুমু খাওয়া।

হাজার হোক আমি ছাব্বিশ বছরের ইংরেজ যুবক। আমরা ছাত্রজীবনেই একাধিক বান্ধবীর সঙ্গে যৌন সম্পর্কে জড়িয়ে পড়ি। সুতরাং কিছু সময়ের ব্যবধানে দুটি মাগিকেই উপভোগ করতে দ্বিধা করি না। ওরা খুশিতে আনন্দে লুটিয়ে পড়ে আমার কোলে।

তারপর ওরা খুব যত্ন করে আমাকে সাবান মাখিয়ে চান করিয়ে দেয়, দুজনে দুটি তোয়ালে দিয়ে সারা শরীর মুছিয়ে দেয়। ওরা আমাকে জামা-প্যান্টও পরিয়ে দেবার পর চুল আঁচড়ে দেয়। আমি খুশি হয়ে দুটি মাগিকেই চুমু খাই ; ওরাও দুজনে দু-হাত দিয়ে গলা জড়িয়ে আমাকে চুমু খায়।

ডিনার খাবার জন্য ডাইনিং রুমে ঢুকতেই বন্ধুবর লঙ হাসতে হাসতে হ্যান্ডসেক করেই বলে, আর ইউ ফিলিং বেটার নাউ? এখন বেশ ভালো লাগছে তো?

হ্যাঁ, বেশ ভালো লাগছে।

মাগি দুটো ভালোভাবে ম্যাসাজ করে চান করিয়ে দিয়েছে?

হ্যাঁ, হ্যাঁ।

আমি সঙ্গে সঙ্গেই বলি, মাগি দুটিকে পেলে কোথায়?

লঙ একটু হেসে বলে, সব বলছি কিন্তু তার আগে একটু পান করব না?

অবশ্যই পান করতে হবে।

লঙ হাততালি দিতেই একজন খানসামা এসে আমাদের দুজনকে সেলাম দেয়।

লঙ ওকে হুকুম করে, আমাদের ক্লারেট দাও।

'ইয়েস স্যার' বলেই খানসামা দ্রুত পায় ভিতরে যায় কিন্তু একটু পরেই ফিরে এসে আমাদের হাতে পানীয় তুলে দেয়।

চিয়ার্স!

চিয়ার্স!

লঙ, এবার বলো, মাগি দুটোকে পেলে কোথায়?

ও একটু হেসে বলে, দে আর ফ্রেশ ফ্রম মুর্শিদাবাদ।

মুর্শিদাবাদ?

ইয়েস, ইয়েস।

লঙ পানীয়র গেলাসে লম্বা চুমুক দিয়ে বলে, প্লাসীর যুদ্ধে মুর্শিদাবাদের নবাবকে হারিয়েই তো আমরা এই দেশ জয় করেছি।

হ্যাঁ, সে — গৌরবময় কাহিনি তো ইংল্যান্ডের সব শিশুরাও জানে।

লঙ উরুতে খুব জোরে থাপ্পড় মেরে বেশ গলা চড়িয়ে গর্বের সঙ্গে বলে, দেখো ফস্টার, যে দেশ হেরে যায়, তার সবকিছু উপভোগ করার অধিকার বিজয়ীদের থাকে।

হ্যাঁ, তুমি ঠিকই বলেছ। রোমান আর গ্রিকরাও পরাজিত দেশের মেয়েদের প্রাণভরে উপভোগ করেছে।

তবে ফস্টার, এই দেশের মানুষ খুবই নিরীহ প্রকৃতির। এরা ইংরেজকে ভয়ও করে, ভক্তিও করে।

দ্যাটস্ গুড।

পানীয় ফুরিয়ে যেতেই খানসামা আবার গেলাস ভরে দেয়।

আমরা দুজনেই পানীয়র পাত্রে লম্বা চুমুক দিই। তারপর লঙ বলে, আমার স্থির বিশ্বাস, এই দেশ শাসন করতে আমাদের শাসনকর্তাদের কোনো কষ্ট হবে না।

না হলেই ভালো।

একটু চুপ করে থাকার পরই আমি বলি, যে দুটো মাগি আমার সেবা করল, তাদের কোথায় পেলে, তা তো বললে না।

মুর্শিদাবাদে কোম্পানির যে রেসিডেন্ট আছেন, তার ডেপুটি মিঃ জোন্স আমার বিশেষ বন্ধু।...

তাই নাকি?

হ্যাঁ; আমরা একই জাহাজে ক্যালকাটা আসি।

আই সি।

তোমার আসার খবর জানাতেই মিঃ জোন্স ওই দুটি মাগি পাঠিয়ে দিল তোমার সেবাযত্ন আর আনন্দের জন্য।

আমি হাসতে হাসতে বলি, ভদ্রলোক তো বেশ উদার আর উপকারী।

সে বিষয়ে কোনো সন্দেহ নেই।

লঙ সঙ্গে সঙ্গেই বলে, ফস্টার, তুমি আইন ব্যবসা শুরু করার আগেই চলো দু-চার দিনের জন্য মুর্শিদাবাদ ঘুরে আসি। জোন্সের আদর-আপ্যায়নে তুমি ভেসে যাবে।

হ্যাঁ, হ্যাঁ, নিশ্চয়ই যাব।

এবার আমি একটু হেসে বলি, মিঃ জোন্স নিশ্চয়ই তোমার সেবাযত্নের জন্যও খুবই ভালো ব্যবস্থা করেছেন?

লঙ হাসতে হাসতে বলে, জোন্স মুর্শিদাবাদে বেশ গুছিয়ে বসার পরই আমাকে ডেকে পাঠাল।

তুমি গেলে?

হ্যাঁ, গেলাম।

তারপর?

জোন্স সারাদিন আমাকে নিয়ে নবাবের প্রাসাদ আর অন্যান্য অনেক কিছু দেখাবার পর একটা-দুটো না, দশটা ইয়ং সুন্দরী মাগিকে আমার

সামনে হাজির করে বলল, এখন কদিন এদের নিয়ে আনন্দ করো। তারপর যে দু-চারটেকে বিশেষ ভালো লাগে, তাদের তুমি নিয়ে যেও।

আমি হো-হো করে হেসে উঠে বলি, বলো কী?

হ্যাঁ, ফস্টার, সব ক-টা মেয়েকে বার বার এনজয় করার পর দুটো মাগিকে সঙ্গে নিয়ে আসি আর দুটোকে পছন্দ করে রেখে আসি পরে নিয়ে যাব বলে।

পরে তাদের এনেছিলে?

হ্যাঁ, এই বাড়িতে গুছিয়ে বসার পরই ওই দুটোকে আনি।

এখনও ওরা চারজন আছে?

হ্যাঁ, হ্যাঁ, আছে।

ওদের সঙ্গে আলাপ করিয়ে দেবে না?

ডিনারের সময় সব মাগিরাই আসবে।

হ্যাঁ, ডিনারের সময় ওর চারটি আর আমাকে উপহার দেওয়া দুটি মাগি আমাদের সঙ্গে যোগ দিল।

কী মজা করেই আমরা ডিনার খেলাম। কখনো আমরা মাগিদের কোলে বসে খাচ্ছি, কখনো ওরা আমাদের কোলে বসে খেতে খেতে আমাদের চুমু খাচ্ছে বা আমাদের খাইয়ে দিচ্ছে।

সন্ধের পর ক্লারেট পান করতে করতে মাগিদের নিয়ে আমাদের দুই বন্ধুর সে কী নাচ! ঘণ্টা দুয়েক পানীয়র সঙ্গে নাচের পর শুরু হল সাপার।

সাপারের পর বন্ধুবর লঙ ও তার চারটি মাগির কাছ থেকে বিদায় নিয়ে আমি আমার ঘরে ঢুকতে দুই যুবতী আমার পোশাক খুলে উলঙ্গ করে আমাকে শুইয়ে গায়ে একটা চাদর ছড়িয়ে দিল। ঘরের চারকোনায় যে চারটি আলো জ্বলছিল, তার তিনটি নিভিয়ে দিয়েই দুটি মাগি উলঙ্গ হয়েই আমার দু-পাশে শুয়ে পড়ল।

জানি না, কত রাত পর্যন্ত সেই আদিম প্রবৃত্তির লীলাখেলায় মেতে ছিলাম। বোধ করি রাতের তিনভাগ কাটিয়েই ঘুমোই।

পরদিন যখন ঘুম ভাঙল, তখন সূর্য প্রায় মাথার উপরে।

ভাগ্যের সন্ধানে ইংল্যান্ড থেকে ক্যালকাটা এসে এইভাবেই কাটল আমার প্রথম দিন।

অ্যাঞ্জেলিনা ওদের ফস্টার পরিবারের সবচাইতে কৃতী পূর্ব পুরুষের ডায়েরির প্রথম কয়েকটা পাতা পড়েই শুধু অবাক হয় না, অত্যন্ত লজ্জিতবোধ করে।

শুধু কি তাই?

বিচিত্র গ্লানিবোধও না করে পারে না।

ছি! ছি! আমি এই বংশের মেয়ে?

অ্যাঞ্জেলিনা বুদ্ধিমতী মেয়ে। সে সঙ্গে সঙ্গে মনে মনে বলে, 'আমি তো আমার জন্মের জন্য দায়ী না। কোনো মানুষই তো তার মা-বাবাকে পছন্দ করে এই পৃথিবীতে আসে না।

হঠাৎ লাঠি ঠক ঠক করতে করতে ওর বৃদ্ধা গ্রান্ডমাদার এসে নাতনির মাথায় হাত বুলিয়ে দিতে দিতে বলেন, মাই ডিয়ার সুইটি, কী এত ভাবছ?

অ্যাঞ্জেলিনা ওকে কাছে টেনে নিয়ে ওর গায়ে মাথা রেখে বলে, নীচের ঘরে একটা ট্রাঙ্কের মধ্যে একটা ডায়েরি পেলাম।

কার ডায়েরি?

এই বংশের এক পূর্ব পুরুষ টনি ফস্টারের ডায়েরি।

ওকে ঠিক চিনতে পারছি না তো?

গ্রান্ডমা, ইনি ইস্ট ইন্ডিয়া কোম্পানির প্রথম যুগে ক্যালকাটা গিয়েছিলেন ভাগ্যের সন্ধানে।

সুইটি, নাউ আই অ্যান্ডারস্ট্যান্ড!

বৃদ্ধা একটা চেয়ার টেনে নিয়ে নাতনীর পাশে বসে বলেন, আমি শাশুড়ির কাছে শুনেছি, উনি ক্যালকাটায় ল' প্র্যাকটিস করে প্রচুর টাকা আয় করেন।

তোমার শাশুড়ি ওঁর বিষয়ে আর কিছু বলেননি?

বৃদ্ধা মিসেস মেরি ফস্টার একটু হেসে বলেন, হ্যাঁ, বলেছিলেন, ওঁর চরিত্র মোটেও ভালো ছিল না।

উনি সঙ্গে সঙ্গেই বলেন, চলো, সুইটি, খেতে যাই।

হ্যাঁ, চলো।

দুই

বন্ধুবর মিঃ লঙ-এর আতিথ্যে প্রথম তিনটে দিন শুধু আকণ্ঠ ক্লারেট পান করেছি, অসম্ভব ভালো খেয়েছি, ঘুমিয়েছি আর দুটি মাগিকে প্রাণভরে উপভোগ করেছি।

সত্যি কথা বলতে, মাগি দুটি যে কি বাঁদরামি করতে পারে, তা দেখে আমি অবাক হয়েছি। ওদের ছলাকলা দেখে বুঝেছি, কী করে অতি সংযমী পুরুষকেও চরম উত্তেজিত করা যায়, তা ওরা খুব ভালোভাবে শিখেছে।

যাইহোক চতুর্থ দিন ডিনারের আগে ক্লারেট পান করতে করতে লঙ এক গাল হেসে বলে, ইয়েস মাই ডিয়ার ফ্রেন্ড, তিনটে দিন কেমন কাটালে?

আমিও হাসতে হাসতে বলি, মাই ডিয়ার গুড ওল্ড ফ্রেন্ড, তুমি জবাব দাও, কেন আমাকে এত আনন্দে, এত স্ফূর্তিতে, এত উপভোগ করার সুযোগ দিলে?

লঙ হো-হো করে হেসে উঠে বলে, তোমার মতো অভিন্ন হৃদয় বন্ধুর জন্য এইটুকু না করলে যে আমি কর্তব্যচ্যুত হতাম।

চমৎকার!

মুহূর্তের জন্য থেমেই আমি বলি, আমার জন্য কী বিধিব্যবস্থা করেছ, তা বলবে?

ফস্টার, তোমার চিন্তার কোনো কারণ নেই। এখানে অ্যাটর্নি হিসেবে তুমি খ্যাতি অর্জন করলে সব চাইতে উপকৃত হব আমি।

তুমি উপকৃত হবে?

নিশ্চয়ই উপকৃত হব।

কীভাবে?

দেখো ফস্টার, আমি একজন সাধারণ ব্যবসাদার...

ওর কথার মাঝখানেই আমি মন্তব্য করি, তাতে কী হল? ভবিষ্যতে তো নিশ্চয়ই ক্যালকাটার একজন বড়ো ব্যবসাদার হতে পারো?

হ্যাঁ, হতে পারি কিন্তু নাও হতে পারি তো।

কিন্তু অ্যাটর্নি হিসেবে আমার সুনাম হলে তোমার কী লাভ?

গেলাসের বাকি ক্লারেটটুকু গলায় ঢেলে দিয়েই লঙ বলে, ক্যালকাটার হাই সোসাইটিতে ভালো অ্যাটর্নিদের খুবই সম্মান। সুপ্রিম কোর্টের সব জজ ও অন্যান্য সব বিখ্যাত লোকদের পার্টিতে নামকরা অ্যাটর্নিদের নেমন্তন্ন হবেই।

আমি চুপ করে ওর কথা শুনি।

লঙ একটু হেসে বলে, খুব স্বাভাবিকভাবেই তোমাকেও মাঝে মাঝে পার্টি দিতে হবে আর সেখানে সুপ্রিম কোর্টের জজ থেকে শুরু করে গণ্যমান্য ব্যক্তিরা নিশ্চয়ই আসবেন।

তাতে তোমার কী লাভ?

বলছি, বলছি।

বন্ধুবর একটু থেমেই বলে, তোমার বাড়ির পার্টির সব বিধিব্যবস্থা থেকে তদারকি আমাকেই করতে হবে।

হ্যাঁ, তুমি ছাড়া আর কে করবে?

লঙ এক গাল হেসে বলে, বিখ্যাত লোকদের সঙ্গে আলাপ-পরিচয় আর একটু-আধটু ঘনিষ্ঠতা হবার পর দেখবে ওরা নিজেরাই উদ্যোগী হয়ে আমাকে ব্যবসা...

আমিও এক গাল হেসে বলি, নাউ আই আন্ডারস্ট্যান্ড!

আরও এক রাউন্ড ক্লারেট পান করার পর আমি বলি, লঙ, তুমি নিশ্চয়ই স্বীকার করবে, অ্যাটর্নি হিসেবে প্রতিষ্ঠালাভ করা জন্য আমাকে যথেষ্ট কাঠখড় পোড়াতে হবে।

হ্যাঁ, তা তো হবেই।

সুতরাং যত তাড়াতাড়ি আমি নিজের আস্তানায় গিয়ে...

আমাকে কথাটা শেষ করতে না দিয়েই লঙ আমার কাধে একটা হাত রেখে বলে, ফস্টার, সেই ছোটোবেলা থেকে তোমার সঙ্গে আমার বন্ধুত্ব।

তা ঠিক।

ও হাসতে হাসতে বলে, আমাদের মধ্যে এমনই বন্ধুত্ব ছিল যে আমরা যখন চোদ্দো-পনেরো বছরের, তখন দুজনেই জুলির প্রেমে পড়ি।

আমি হো-হো করে হেসে উঠে বলি, সত্যি, আমরা জুলিকে নিয়ে কী মজাই করতাম, তাই না?

মজার কথা, জুলি আমাদের দুজনকেই ভালোবাসত আর আমরা চুটিয়ে ওকে চুমু খেতাম আর আদর করতাম, তাই না?

তবে জুলিও কম সেক্সি ছিল না।

ও দারুণ সেক্সি ছিল। জুলি কি কম অসভ্যতা করত আমাদের সঙ্গে?

আমি একটু হেসে বলি, লঙ, ভবিষ্যতে জুলিকে নিয়ে আলোচনার অনেক সময় পাওয়া যাবে ; এখন বলো, ক্যালকাটায় আমার জন্য তুমি কিছু ব্যবস্থা করতে পেরেছ?

মাই ডিয়ার ফ্রেন্ড, তুমি আসার প্রায় তিন মাস আগে মিঃ কার্লটন আমাকে তোমার চিঠি দেন।

হ্যাঁ, প্রায় তিন মাস হবে।

তারপর খিদিরপুর থেকে শুরু করে লালবাজার এলাকার মধ্যে বেশ কয়েকটা বাড়ি দেখি কিন্তু কোনোটাই আমার পছন্দ হয় না।

তারপর?

মাত্র মাসখানেক আগে আমার এক কর্মচারী একটা বাড়ির খবর দেয়।

বাড়িটা কোন এলাকায়?

লালবাজার এলাকায়।

বাড়িটা কেমন?

এককথায় বেশ ভালো।

লঙ প্রায় না থেমেই বলে, যেসব অ্যাটর্নিরা একটু নাম-ধাম করেছেন। তারাই যথেষ্ট সংখ্যক কর্মচারী নিয়ে বেশ স্টাইলেই থাকেন।

আমাকে কতজন কর্মচারী রাখতে হবে?

ষাট-বাষট্টি জন কর্মচারী রাখতেই হবে।

আমি অবাক হয়ে বলি, কী বলছ?

ফস্টার, এর কম কর্মচারী হলে তোমার যেমন অসুবিধে হবে, সেইরকমই মক্কেলদের কাছে তোমার মর্যাদাহানি হবে।

লণ্ড সঙ্গে সঙ্গে বলে, কী কী ধরনের কর্মচারী তোমার রাখতেই হবে, তা শুনতে চাও?

হ্যাঁ, বলো।

খানসামা ১ জন, ২ জন রাঁধুনি, ২ থেকে ৩ জন মশালচি, ১ জন বাটলার, ২ জন দারোয়ান, খুব কম করে পাঁচ থেকে ছয়জন খিদমতগার, ২ জন ধোপা, ২ জন হেয়ার ড্রেসার, ২ জন মেথর, ১ জন কম্প্রাডোর, ১ জন ডুরিয়া, ৪ জন সহিস, ২ থেকে ৩ জন ঘাস কাটার লোক, ৩ থেকে ৪ জন মালি, তোমার দুটি মাগির জন্য ৪ জন চাকর, ১ জন কোচম্যান, ৭ থেকে ৮ জন বেয়ারা, ৩ থেকে ৪ জন হরকরা, ২ জন ভিস্তি...

আমি হাসতে হাসতে বলি, হয়েছে, হয়েছে! আর বলতে হবে না।

আমি মুহূর্তের জন্য থেমেই বলি, আয় শুরু করার আগেই আমাকে প্রত্যেক মাসেই প্রচুর ব্যয় করতে হবে কিন্তু সে-টাকা পাব কোথায়?

লণ্ড একটু হেসে বলে, ফস্টার, ক্যালকাটায় টাকা ধার দেবার জন্য লাইন দিয়ে লোক দাঁড়িয়ে আছে।

রিয়েলি?

হ্যাঁ, ভাই, সত্যিই তাই।

লণ্ড না থেমেই হাসতে হাসতে বলে, তুমি ভাবতে পারো আমি এখানে এসেই দশ হাজার সিক্কা টাকা ধার নিয়ে এই বাড়ি কিনে সাজিয়ে-গুছিয়ে, চাকর-বাকর রেখে পর পর দু-সপ্তাহে দুটো খুব বড়ো পার্টি দিই।

পার্টি দিলে কেন?

ব্যবসা পাব বলে।

তোমার পার্টিতে সম্মানিত ব্যক্তিরাও এসেছিলেন?

অফ কোর্স এসেছিলেন।

লণ্ড মুহূর্তের জন্য থেমে বলে, আমাদের ইংল্যান্ড থেকে যারা ক্যালকাটায় এসেছে, তারা যদি শুনতে পায়, অমুক লোকের বাড়িতে অমুক দিন বিরাট ভোজসভায় প্রচুর ভালো ভালো খাবার-দাবার আর অফুরন্ত পানীয়ের ব্যবস্থা থাকবে। তাহলে সবাই ইনভিটেশন পাবার জন্য হাঁ করে বসে থাকে।

শুনে সত্যি অবাক হচ্ছি।

লঙ হাসতে হাসতে বলে, এই দেশ আমরা জয় করেছি বলে এখানে সবকিছুই অবাক হবার মতো। এই যে এখানে আমরা যখন খুশি আকণ্ঠ মদ্যপান করছি বা দুটি মাগিকে দু-পাশে নিয়ে রাত কাটাচ্ছি, তা কি অবাক হবার মতো না?

হ্যাঁ, ঠিক বলেছ।

বন্ধু, ভুলে যেও না, আমরা এই দেশে এসেছি, দশ হাতে আয় করতে আর চুটিয়ে জীবন উপভোগ করতে।

আমিও তো সেইজন্য সাত সমুদ্র তেরো নদী পার করে এই দেশে এসেছি।

লঙ আমার সঙ্গে করমর্দন করে বলে, দ্যাটস্ লাইক এ গুড ইংলিশম্যান।

লঙ-এর পছন্দ করা বাড়িটি দেখে সত্যি আমার খুবই ভালো লাগল। প্রবেশ পথে বিরাট গেট ; তার পাশে দারোয়ানের ঘর। গেট পেরিয়ে বিশাল লন ; লনকে ঘিরে রাস্তা। বিশাল থামওয়ালা বিরাট লম্বা-চওড়া বারান্দা। সামনে পাশাপাশি দুটি লিভিং রুম ; তার দু-পাশে তিনটি করে ছ-টি ঘর। লিভিংরুমের পিছনে ডাইনিং হল। ভিতর দিকে কিচেন, স্টোর, ইতাদি ইত্যাদি চারটি ঘর। বাড়ির পিছন দিকে পঁচিশ-তিরিশটি কর্মচারীর ঘর ছাড়াও ধোপার জন্য বিশেষ ব্যবস্থা। পিছন দিকের এক পাশে ঘোড়াদের আস্তাবল ও গাড়ি রাখার জায়গা।

এক কথায় নবাবি চালে থাকার মতোই বাড়ি।

লঙকে জিজ্ঞেস করি, এই বাড়ির জন্য মাসে মাসে কত ভাড়া দিতে হবে?

মাত্র আটশো সিক্কা টাকা।

লঙ না থেমেই বলে, এই বাড়ির মালিক এক ইহুদি ভদ্রলোক ; তার প্রচুর সম্পত্তি ছড়িয়ে আছে সারা শহরে। উনি যখনই শুনলেন, তোমার মতো একজন অ্যাটর্নি থাকবে, তখনই বললেন, তাহলে আর অ্যাডভান্স দিতে হবে না।

বাঃ, খুব ভালো।

ফস্টার, প্রথম কাজ হচ্ছে, তোমার এই বাড়ি সাজাতে হবে, তারপর কর্মচারীদের নিয়োগ করতে হবে, ঘোড়া আর গাড়ি কিনতে হবে, তাছাড়া মালপত্র কিনে স্টোর রুম ভর্তি করতে হবে।

শুনেই তো আমার মাথা ঘুরে যাচ্ছে।

কিছু চিন্তা করো না ; আমাকে যেসব কেনাকাটা করতে হয়েছিল, সেই লিস্ট দেখেই তোমার স্টোর ভর্তি করে দেব। আমি একটু হেসে বলি, হোয়াট অ্যাবাউট ড্রিঙ্কস্?

তোমার দু-পেটি ক্লারেট আছে ; আমিও দু-পেটি দিতে পারব। তাছাড়া মিঃ ব্রাউনকে বললেই তুমি রেগুলার সাপ্লাই পেয়ে যাবে।

হোয়াট অ্যাবাউট মানি?

লঙ একটু হেসে বলে, বলেছি তো টাকার জন্য চিন্তা করতে হবে না।

লঙ যাকে নিয়ে লিভিং রুমে হাজির হল, ঠিক সেইরকম নেটিভকে আগে আমি দেখিনি। ভদ্রলোক একটু বেঁটে হলেও বেশ স্বাস্থ্যবান ; গায়ের রং কালো না কিন্তু একটু চাপা। মাথার মাঝখান দিয়ে সিঁথি ; মাথায় এত তেল দিয়েছেন যে প্রায় গড়িয়ে পড়ছে। পরনে ধুতি, গায় সিল্কের কুর্তা। হাতে একটি লাল খাতা আর কাপড়ের একটা বড়ো থলি। তবে সব চাইতে উল্লেখযোগ্য হল, ভদ্রলোকের মুখের হাসি।

লঙ ওকে দেখিয়ে আমাকে বলে, ফস্টার, দিস ইজ মাই ফ্রেন্ড মিঃ শীল।

ভদ্রলোক সঙ্গে সঙ্গে আমার দিকে তাকিয়ে হাসতে হাসতে বলে, স্যার, আই বৃন্দাবন শীল।

থ্যাঙ্ক ইউ মিঃ ভৃন্দাভন সীল।

লঙ বলে, এই শীলের টাকাতেই আজ আমি সাকসেসফুল ব্যবসাদার ; মহানন্দে জীবন কাটাচ্ছি।

রিয়েলি?

ইয়েস ফস্টার, মিঃ শীল আমাকে সাহায্য না করলে আমি যে কী

করতাম, তা ঈশ্বরই জানেন।

লঙ সঙ্গে সঙ্গে বলে, তুমি বলো, কত টাকা চাই।

মাই ডিয়ার ফ্রেন্ড, সে হিসেব তো তুমিই ভালো করে জানো।

লঙ সঙ্গে সঙ্গে বলে, মিঃ শীল!

ইয়েস স্যার।

আপনি ফস্টারকে ফিফটিন থাউজ্যান্ড সিক্কা টাকা দিন।

ইয়েস স্যার, নো সমস্যা।

বৃন্দাবন শীল সঙ্গে সঙ্গে বড়ো থলির ভিতর থেকে একটা ব্যাগ বের করে ফস্টারের হাতে দিয়ে বলেন, স্যার, ফিফটিন হাজার সিক্কা টাকা।

থ্যাঙ্ক ইউ ভেরি মাচ।

স্যার, আপনাকে আই থ্যাংক ভেরি ভেরি।

বৃন্দাবন আবার বলেন, স্যার, ইউ এনজয়, আই মানি।

সরি, কান্ট আন্ডারস্ট্যান্ড...

লঙ একটু হেসে বলেন, মিঃ শীল বলছেন, আপনি আনন্দে থাকুন আর যখনই টাকার দরকার আমাকে বলবেন।

আমি মিঃ শীলের সঙ্গে হ্যান্ডসেক করে বলি, হ্যাঁ, টাকার দরকার হলে নিশ্চয়ই বলব।

এবার মিঃ শীল লাল খাতা খুলে বলেন, স্যার, প্লিজ সই হিয়ার।

লঙ সঙ্গে সঙ্গে বলে, ফস্টার, ওখানে সাইন করো।

আমি খাতায় সই করে দেবার পরই মিঃ শীল আমাদের দুজনকে বার বার করে সেলাম করে বিদায় নেন।

লঙ-এর তদারকিতে তিন দিনের মধ্যে বাড়ির চেহারা যে এভাবে বদলে যাবে, তা আমি স্বপ্নেও ভাবিনি। এই তিন দিনের মধ্যে শুধু যে পুরো বাড়িটা সুন্দর করে রং করা হয়েছে, তাই না, অত্যন্ত সুন্দর ফার্নিচার দিয়ে ঘরগুলো সাজানো হয়েছে।

আমি তিন দিন পরে এসে দেখছি, লঙ হাফ্ প্যান্ট আর বেনিয়ান পরে দরজা-জানলার পরদা সেলাই করার জন্য দর্জিদের বুঝিয়ে দিয়েই লাফ দিতে দিতে কিচেন আর স্টোরে গিয়েই হুংকার দেয়, ফাঁকি দিলেই

আমি তোমাদের লাথি মেরে দূর করে দেব।

কী আশ্চর্য! এর মধ্যে রান্নাবান্নার বাসন কোসন, নানা রকমের চীনামাটির প্লেট, নানা সাইজের পাত্র, খাবার-দাবার রাখার জন্য বড়ো বড়ো পাত্র ইত্যাদি ছাড়াও মদ্যপান পান করার জন্য বিশেষ ধরনের গেলাসও এসে গিয়েছে।

লঙ, এরই মধ্যেই তুমি এতকিছুর ব্যবস্থা করলে কী করে?

মাই ডিয়ার ফ্রেন্ড, দিস ইজ ক্যালকাটা। টাকা দিলে আমি তোমাকে জ্যান্ত বাঘ পর্যন্ত এনে দিতে পারি।

হ্যাঁ, তা তুমি পারো।

লঙ স্থির থাকতে পারে না। বলে, তুমি এখানে থাকো ; আমি তোমার কর্মচারীদের ঘরদোরগুলো দেখে মালিকে একটা কথা বলে আসছি।

ভেবেছিলাম, ও পাঁচ-দশ মিনিটের মধ্যেই আমার কাছে ফিরে আসবে কিন্তু ও ফিরে এল প্রায় আধ ঘণ্টা পরে। তাকিয়ে দেখি, ওর সারা শরীর থেকে ঘাম ঝরছে ; বেনিয়ান ভিজে জব জব করছে।

ওকে দেখে সত্যি আমার খুব খারাপ লাগল। বললাম, লঙ, তুমি পাগলের মতো দৌড়ঝাঁপ করো না। প্লিজ টেক ইট ইজি। বাড়ি তৈরি হতে দু-চার দিন সময় বেশি লাগলে আকাশ ভেঙে পড়বে না।

তুমি ক্যালকাটায় এসেই চটপট সাজিয়ে-গুছিয়ে বসেছ দেখে সবাই চমকে উঠবে আর ঠিক সেই কারণে তোমার পসার জমতে বাধ্য।

তাই কি?

অফ কোর্স!

লঙ একটু হেসে বলে, তুমি কি খেয়াল করেছ, গেটের পাশেই আমি তোমার নামের বোর্ড ঝুলিয়ে দিয়েছি?

সরি, আমি তো খেয়াল করিনি।

ওই বোর্ড দেখেই তিন-চারজন খোঁজ করতে এসেছেন যে কবে থেকে এই চেম্বারে বসবে।

রিয়েলি?

তবে কি আমি মিথ্যা কথা বলছি?

না, না, তা কেন বলবে।

লণ্ড একটু হেসে বলে, দাঁড়াও, একটু পান করা যাক।

আমি হাসতে হাসতে বলি, এখানেও তার ব্যবস্থা আছে?

নিয়মিত পানীয় না খেলে কী তিন দিনের মধ্যেই এত কাজ করিয়ে নিতে পারতাম?

লণ্ড হাঁক দেয়, খিদমতগার!

সঙ্গে সঙ্গে একটা লোক সামনে হাজির হয়ে আমাদের দুজনকে সেলাম দিয়ে বলে, ইয়েস স্যার!

ড্রিঙ্কস।

ইয়েস্ স্যার।

দু-এক মিনিটের মধ্যেই খিদমতগার আমাদের দুজনের হাতে ক্লারেট ভর্তি গেলাস তুলে দেয়।

চিয়ার্স!

চিয়ার্স!

গেলাসে একবার লম্বা চুমুক দিয়েই লণ্ড বলে, ফস্টার আজ আমি বলে দিচ্ছি, অ্যাটর্নি হিসেবে তুমি অভাবনীয় সাকসেসফুল হবে ও প্রচুর আয় করবে।

সত্যি তুমি তাই মনে করো?

একশোবার মনে করি।

আমাদের সারে এলাকায় আমার অনেক বন্ধুবান্ধব ছিল ; কেউ ছিল আমার গ্রামার স্কুলের সহপাঠী, কেউ কেউ ছিল আমার খেলাধুলার সঙ্গী। কার্লটনের সঙ্গে আমার বন্ধুত্ব খেলার মাঠে।

ইংল্যান্ড ফুটবল টিমের অনেক বিখ্যাত খেলোয়াড়রাই ছিলেন আমাদের সারে অঞ্চলের। তাইতো আমাদের ওখানে ক্রিকেটের চাইতে ফুটবল অনেক বেশি জনপ্রিয় ছিল। তাইতো আমাদের অঞ্চলে নানা বয়সের খেলোয়াড়দের জন্য অনেকগুলো ফুটবল ক্লাব ছিল ; কার্লটন খেলত সারে ব্লু বার্ডস্ টিমে। কার্লটন প্রত্যেক খেলায় গোল করত। বিপক্ষ দলের তিন-চারজন খেলোয়াড় ওকে গার্ড করা সত্ত্বেও কার্লটন ঠিকই গোল করবে। এই কারণে কার্লটন খুবই জনপ্রিয় ছিল।

পরবর্তীকালে কার্লটন ইস্ট ইন্ডিয়া কোম্পানির রাইটার্স হয়ে ক্যালকাটায় আসে ও ঘটনাচক্রে বছর দুয়েকের মধ্যেই প্রচুর টাকা আয় করে। কিছুকাল পরেই ও ইস্ট ইন্ডিয়া কোম্পানির চাকরি ছেড়ে কিছুদিনের জন্য দেশে আসে। সেই সময়ই ওর সঙ্গে আমার দেখা হয়। এই কার্লটনের দ্বারা অনুপ্রাণিত হয়ে আমি কলকাতায় এসেছি।

লালবাজারের বাড়িতে বসবাস শুরু করার দু-তিন দিন পর আমি সাত সকালে কার্লটনের বাড়িতে হাজির হই। ও আমাকে দেখে খুবই খুশি হয়।

ফস্টার, আয়াম রিয়েলি ভেরি হ্যাপি যে তুমি আমার কথা মতো এখানে এসেছ। এবার বলো, এখানে কী ব্যবসা করাতে চাও।

কার্লটন, আমি আইন পড়ে এদেশে এসেছি অ্যাটর্নি...

আমাকে কথাটা শেষ করতে না দিয়েই ও একগাল হেসে বলে, সে তো খুবই ভালো কথা।

অ্যাটর্নি হবার জন্য তো সুপ্রিম কোর্টের অনুমোদন চাই।

কার্লটন হাসতে হাসতে বলে, নো প্রবলেম। আমাদের ব্লু বার্ডস-এর যিনি প্রেসিডেন্ট ছিলেন, সেই মিঃ গ্রাহাম এখানে সুপ্রিম কোর্টের অন্যতম বিচারপতি।

শুনে আমিও উল্লসিত হয়ে বলি, রিয়েলি?

ইয়েস ইয়েস মাই ডিয়ার ফ্রেন্ড!

কী আশ্চর্য! ঠিক তিন দিন পরেই আমি সুপ্রিম কোর্টে অ্যাটর্নি হবার শপথ গ্রহণ করি।

তিন

বন্ধুবর লণ্ড-এর কথা যে এভাবে বাস্তবে সত্য হবে, তা আমি ভাবতে পারিনি। অ্যাটর্নির শপথ নেবার পরদিনই আমি দুটি মামলা পেলাম।

বেগম আয়েষা আমাকে কাগজপত্র দেখিয়ে বললেন, এস্‌প্লানেড-পার্ক স্ট্রিট অঞ্চলের পর পর তিনটে দোতলা বাড়ির মালিক আমি। তার একটিতে আমি থাকি ; অন্য দুটি ভাড়া দিই।

আমি চুপ করে বেগমসাহেবার কথা শুনি।

সাধারণত হাজার-বারোশো সিক্কা টাকায় এক-একটা বাড়ি ভাড়া দিই।

আপনার সমস্যা কী?

বলছি।

বেগমসাহেবা মুহূর্তের জন্য থেমেই বলেন, দুটি বাড়ির মধ্যে একটা বাড়ি খালি ছিল। সেই খালি বাড়িটি ভাড়া দেবার জন্য একদিন সকালে কোম্পানির এক অফিসার একটা বিরাট ফুলের তোড়া আর একটা বড়ো কেক আমাকে দিলেন।

উনি একটু হেসে বলেন, ভদ্রলোকের এই সৌজন্য আমার খুব ভালো লাগল।

ভদ্রলোকের নাম কী?

মিঃ এডওয়ার্ড হপকিনস্‌।

তারপর?

কোনো অ্যাডভান্স না নিয়েই আমি ওকে বাড়িটি ভাড়া দিলাম কিন্তু দুঃখের বিষয়, গত কুড়ি মাসের মধ্যে ভদ্রলোক আমাকে একটা সিক্কা টাকাও দেননি।

বেগমসাহেবা অত্যন্ত কাতরভাবে বললেন, আপনি দয়া করে আমার

টাকাগুলো আদায় করে দিন।

শুধু টাকা চাই? বাড়ি ছেড়ে দেবার দাবি জানাতে চান না?

উনি বাড়ি ছাড়লে তো বেঁচে যাই।

আমি একটু হেসে বলি, আশা করি, সুদ সমেত বাড়ি ভাড়ার টাকাও পাবেন, বাড়িও খালি পাবেন।

বেগমসাহেব আমার টেবিলের উপর এক হাজার সিক্কা টাকা রেখে বলেন, আপনার কথা যদি আদালত মেনে নেয়, তাহলে আমি আপনাকে আরও চার হাজার সিক্কা টাকা দেব।

এখনই টাকা দিচ্ছেন কেন? আগে দেখুন, মামলায় কী হয়।

আমার মন বলছে, আপনি ঠিকই মামলায় জিতবেন।

আমি নিশ্চয়ই চেষ্টা করব।

এমন ঘটনা যে ঘটবে, তা আমি স্বপ্নেও ভাবিনি। মামলার কাগজপত্র সুপ্রিম কোর্টের অফিসে জমা চিফ জাস্টিসের হুকুম মতো বিভিন্ন বিচারপতিকে বিচার করতে হয়। ক্যালকাটার সুপ্রিম কোর্টে আমার প্রথম মামলার বিচার করার ভার পড়ল জাস্টিস গ্রাহামের উপর।

কোর্টে মিঃ হপকিনস্ গভীর দুঃখ প্রকাশ করে ক্ষমা চাইলেন।

জাস্টিস গ্রাহাম বললেন, ইজ ইট নট টু লেট?

ইয়েস স্যার।

যে কুড়ি মাস ভাড়া না দিয়ে এই মহানগরীর সব চাইতে ভালো এলাকার বাড়িতে থাকে, তাকে কখনোই সৎ বলা যায় না।

আমি এই কথা বলতেই জাস্টিস গ্রাহাম বলেন, ইউ আর পারফেক্টলি রাইট।

এবার আমি মাননীয় বিচারপতির কাছে সবিনয়ে নিবেদন করি, মিঃ হপকিনস্ যেহেতু সৎ না, অর্থাৎ তিনি অসৎ, অর্থাৎ তিনি মাননীয়া বেগমসাহেবাকে ঠকিয়েছেন।

ইয়েস ইউ ক্যান সে দ্যাট।

মি লর্ড, এবার শাস্তি দেবার দায়িত্ব আপনার।

জাস্টিস গ্রাহাম একটু চিন্তাভাবনা করেই বলেন, মাননীয় অ্যাটর্নির প্রস্তাব

অনুসারে আমি আদেশ করছি, মিঃ হপকিনস্‌কে শতকরা দশ সিক্কা টাকা সুদ সমেত বেগম সাহেবার সমস্ত পাওনা সাত দিনের মধ্যে মিটিয়ে দিতে হবে।

বিচারপতি একটু থেমেই বলেন, যদি মিঃ হপকিনস্‌ সাত দিনের মধ্যে বেগম সাহেবার সব পাওনা মিটিয়ে না দেন। তাহলে তাকে দু-বছরের জন্য জেলে থাকতে হবে।

অ্যাটর্নি হিসেবে আমি বলি, মি লর্ড, আর কিছু বলবেন?

ইয়েস, ইয়েস।

বিচারপতি না থেমেই বলেন, মিঃ হপকিনস্‌কে ঠিক সাত দিনের মধ্যে বেগম সাহেবার বাড়ি ছেড়ে চলে যেতে হবে।

মিঃ হপকিনস্‌ মাথা নিচু করে বলেন, মি লর্ড, আমি আপনার সব আদেশই অক্ষরে অক্ষরে পালন করব।

দ্যাটস্‌ গুড!

পকেটে চার হাজার সিক্কা টাকা নিয়ে বাড়ি ফিরেই সহিসকে হুকুম করলাম, ব্রিং মিঃ লঙ ইমিডিয়েটলি! বহুত জলদি লে আও।

আমি ভিতরে ঢুকতেই দুটো মাগি প্রায় ছুটে এসে আমাকে জড়িয়ে ধরে।

আমি চিৎকার করি, খিদমতগার!

ইয়েস স্যার।

জলদি ক্লারেট...

ইয়েস স্যার।

দু-তিন মিনিটের মধ্যেই খিদমতগার আমার হাতে ক্লারেটের গেলাস তুলে দিতেই একটা মাগি আমার হাত কাছে নিয়ে ক্লারেটের গেলাসে চুমুক দেয়।

তারপর আমি গেলাসে লম্বা চুমুক দেবার পর অন্য মাগি গেলাসটা হাতে নিয়ে এক চুমুকে বাকিটুকু গলায় ঢেলে দেয়।

আমি হাততালি দিয়ে বলি, তোরা দুটো মাগিই বড়ো ভালো।

ব্যস! সঙ্গে সঙ্গে আবার চিৎকার করি, খিদমতগার, ক্লারেট! ক্লারেট!

এক নিশ্বাসে এক গেলাস ক্লারেট গলায় ঢেলে দিই ; আর এক গেলাস

ক্লারেট দুটো মাগি শেষ করে। তারপর আর আমাদের কে দেখে!

দুটো মাগি হাসতে হাসতে নাচতে নাচতে এক এক করে আমার পোশাক খুলে দেয় ; আমিও দুটো মাগিকে উলঙ্গ করতে দেরি করি না। তারপর শুরু হয় আমাদের উন্মত্ত জড়াজড়ি, চুমু খাওয়া আর চূড়ান্ত অসভ্যতা করা।

ঠিক সেই সময় লঙ এসে হাজির।

ও অবাক হয়ে বলে, দিনের বেলায় একী শুরু করেছ তোমরা?

মেঝেতে পড়ে থাকা ট্রাউজারটা দেখিয়ে আমি বলি, মাই ডিয়ার ফ্রেন্ড, আমার ট্রাউজারের পকেটে হাত দিয়ে দেখো কী আছে।

ট্রাউজারের পকেটে হাত দেব না ; তুমি মুখে বলো, হঠাৎ এমন আনন্দ করার কারণ কী।

আমি চিৎকার করে বলি, লঙ, সুপ্রিম কোর্টে প্রথম মামলাতেই আমি জিতেছি ; তাইতো মক্কেল খুশি হয়ে চার হাজার সিক্কা টাকা দিয়েছে।

লঙ আমার সঙ্গে হ্যান্ডসেক করে বলে, আয়াম রিয়েলি ভেরি হ্যাপি। আমি তো বলেছি, অ্যাটর্নি হিসেবে তুমি যেমন নাম করবে, সেইরকমই দশ হাতে রোজগার করবে।

লঙ, প্লিজ জয়েন আস।

আমি সঙ্গে সঙ্গে মাগিদের বলি, ওর শরীর থেকে সব পোশাক খুলে নাও।

লঙ বেশ গম্ভীর হয়ে বলে, নো, নো ; আমি এখন ব্যবসার কাজে যাচ্ছি।

লঙ চলে গেল।

আমি আদিম প্রবৃত্তিকে খুশি না করে স্থির হতে পারি না।

সত্যি কথা বলতে কী উন্মত্ত অশ্লীলতার মধ্যে আমি এক ধরনের অদ্ভুত তৃপ্তিলাভ করছি।

পরের দিন সকালেই বন্ধুবর লঙ এসে হাজির। এত সকালে ওকে দেখে অবাক না হয়ে পারি না। তাইতো বলি, কী ব্যাপার? এত সকালে এলে?

লঙ বেশ গম্ভীর হয়ে বলে, কাল সারাদিন ব্যবসার কাজে খুবই ব্যস্ত

ছিলাম। সন্ধের পর বাড়ি ফিরে লনে বসে চুপচাপ মদ্যপান করেছি আর তোমার কথা ভেবেছি।

আমার কথা?

হ্যাঁ, হ্যাঁ, তোমার কথা।

লঙ একবার বুক ভরে নিশ্বাস নিয়ে বলে, মন এতই উতলা ছিল যে রাত্রে মাগিদের পর্যন্ত কাছে আসতে দিইনি। তোমার জন্য এতই চিন্তিত ছিলাম যে রাত্রে ভালো করে ঘুমুতেও পারিনি।

আমার জন্য চিন্তিত ছিলে?

ইয়েস মাই ডিয়ার ফ্রেন্ড, তোমার জন্য চিন্তিত ছিলাম।

লঙ, আমি ঠিক তোমার কথা বুঝতে পারছি না।

লঙ খুব জোরে দীর্ঘশ্বাস ফেলে বলে, কাল দিনের বেলায় তোমার মদ্যপান আর দুটো মাগিকে নিয়ে বিকৃত যৌন আনন্দে ভেসে যেতে দেখে চিন্তিত না হয়ে পারিনি।

আমিও একটু হেসে বলি, মাই ডিয়ার ফ্রেন্ড, এই খেলার জন্য তুমিই দুটি মাগি দিয়েছিলে এবং তোমারই অনুপ্রেরণায় ওই মাগিদের নিয়ে বিকৃত যৌন আনন্দে মেতেছি প্রতিদিন।

হ্যাঁ, বন্ধু, ঠিকই বলেছ কিন্তু কাজের ক্ষতি করে বা নিজের মর্যাদা বিসর্জন দিয়ে মদ্যপান করা বা মাগিদের নিয়ে বিকৃত যৌন আনন্দে মেতে উঠতে বলিনি।

ও মুহূর্তের জন্য থেমেই বলে, দিনের বেলা আর সন্ধের সময় বাদ দিয়ে সারারাত ধরে আনন্দ করো, কেউ বাধা দেবে না।

আমি একটু হেসে বলি, তুমি তো বেশ অভিভাবকের মতো কথা বলতে পারো।

দেখো বন্ধু, সুপ্রিম কোর্টের প্রধান বিচারপতি থেকে সমাজের সর্বস্তরের মানুষ অ্যাটর্নিদের সম্মান করে ; সেইজন্য তোমার এমন কিছু করা উচিত না, যাতে তোমার সম্মান ক্ষুণ্ণ হয়।

আমি বেশ বিরক্ত হয়ে বলি, আর কিছু উপদেশ দেবে?

আমি উপদেশ দেবার কে? নিছক বন্ধু হিসেবে পরামর্শ দিচ্ছিলাম।

অশেষ ধন্যবাদ।

লণ্ড বুঝতে পারে, আমি বেশ বিরক্ত হয়েছি ; তাইতো ও আর কথা না বাড়িয়ে বিদায় নেয়।

পরের দিন সকালে কার্লটন এসে হাজির।

ওকে দেখে একগাল হেসে ডান হাত বাড়িয়ে দিই করমর্দন করার জন্য। করমর্দন করে বলি, তুমি এসেছ বলে আমার খুব ভালো লাগছে।

কার্লটনও হাসতে হাসতে বলে, হাজার হোক তুমি ব্লু বার্ডস-এর বন্ধু ; তাইতো তোমার কাছে এসে আমারও ভালো লাগছে।

বন্ধুকে লিভিং রুমে নিয়ে গিয়েই বলি, তোমাকে কী দিতে বলব? চা নাকি ক্লারেট?

কার্লটন হো-হো করে হেসে উঠে বলে, যতক্ষণ সূর্যদেব মাথার উপরে থাকেন, ততক্ষণ ক্লারেট স্পর্শ করি না।

কোনোদিনই দিনের বেলায় ক্লারেট পান করো না?

না।

ও সঙ্গে সঙ্গেই বলে, অশিক্ষিত লোকেরা যখন-তখন ক্লারেট পান করে কিন্তু ভদ্র সমাজে ক্লারেট শুধু সন্ধের পরই পান করার রীতি।

আই সি।

এবার কার্লটন একটু হেসে বলে, কাল দুপুরে জাস্টিস গ্রাহাম আমাকে ডিনারে ডেকেছিলেন।

তাই নাকি?

হ্যাঁ।

ও মুহূর্তের জন্য থেমেই বলে, ওখানে গিয়ে স্বয়ং বিচারপতির কাছেই শুনলাম, তোমার প্রথম মামলায় জয়ের খবর। খবরটা শুনে খুব ভালো লাগল বলেই বাড়ি ফেরার পথে তোমার কাছে এলাম এক বন্ধুকে নিয়ে।

কাল দুপুরে এসেছিলে?

আমার ওই বন্ধুর একটা গুরুত্বপূর্ণ মামলা ছিল আজ সুপ্রিম কোর্টে ; তাই তোমার কাছে এসেছিলাম কিন্তু...

কিন্তু কী?

তোমার এক খিদমতগার বলল, গেলাসের পর গেলাস ক্লারেট খেয়ে

সাহেব আর দুই মাগি উলঙ্গ হয়ে পাগলের মতো স্ফূর্তি করছে।

আমি কী বলব? চুপ করে থাকি।

কার্লটন এবার বলে, তোমাকে না পেয়ে সোজা চলে গেলাম হিকি সাহেবের কাছে; ভদ্রলোকের চার্জ যথেষ্ট বেশি হলেও কাজকর্মের ব্যাপারে খুবই সিরিয়াস।

বন্ধুর কাজ হয়েছে?

হ্যাঁ, হয়েছে কিন্তু তুমি এই কাজ করলে ভালো হত।

কী ভালো হত?

প্রথম কথা, কাল তোমার প্রচুর আয় হত আর ভবিষ্যতে আমার বন্ধুর কোম্পানির কাজ করে তোমার যেমন সুনাম হত, সেইরকমই নিয়মিত খুবই ভালো আয় হত।

ফস্টার একটা চাপা দীর্ঘশ্বাস ফেলে বলে, কাল প্রথম মামলায় জিতে পকেটে চার হাজার সিক্কা টাকা পুরে আমি আত্মহারা হয়ে বেশি রকমের আনন্দে মেতে উঠেছিলাম।

কার্লটন একটু হেসে বলে, দেখো বন্ধু, আমাদের বয়স বেশি না; আমরা বিয়েও করিনি। ইংল্যান্ড থেকে অর্ধশিক্ষিত ছেলেরা এখানে এসে সৎ আর অসৎ পথে প্রচুর আয় করছে।

হ্যাঁ, ঠিক বলেছ।

অতিরিক্ত টাকা হাতে আসছে বলেই প্রত্যেক ইংরেজ পাগলের মতো মদ্যপান করছে আর মাগি পুষছে।

কার্লটন সঙ্গে সঙ্গেই একটু হেসে বলে, মুর্শিদাবাদের নবাব আর তার সাঙ্গপাঙ্গদের হারেমে যে কত হাজার মাগি ছিল, তা ঈশ্বরই জানেন।

আমি বলি, শুনলাম, এখানে আমরা যে মাগিদের পুষছি, তারা সবাই এসেছে মুর্শিদাবাদ থেকে।

হ্যাঁ, ঠিকই শুনেছ।

ও সঙ্গে সঙ্গেই বলে, মুর্শিদাবাদের এক বন্ধুর কাছে শুনেছি, হারেমে বুড়ি মাগিরা অল্পবয়সি মাগিদের দু-এক বছর ধরে ট্রেনিং দিত, কীভাবে পুরুষদের উত্তেজিত করতে হয়, কীভাবে বিকৃত লীলাখেলায় মাতিয়ে রাখতে হয় ইত্যাদি ইত্যাদি।

সত্যি?

হ্যাঁ, ষোলো আনা সত্যি।

এবার কার্লটন বলে, তুমি কবে আমার বাড়ি আসবে?

তুমি যেদিন বলবে, সেদিনই আসব।

রবিবার কোর্ট নেই ; তাই বলছি, শনিবার সন্ধেবেলায় চলে এসো কিন্তু রাত্রে ফিরতে পারবে না।

কেন?

সে-রাতে তোমাকে আনন্দে রাখার দায়িত্ব আমার।

আমি হো-হো করে হেসে উঠে বলি, ও রিয়েলি?

ইয়েস, মাই ডিয়ার ফ্রেন্ড।

এখন প্রতিদিনই ক্যালকাটার কিছু না কিছু উন্নতি হচ্ছে। লন্ডনের মতনই সুন্দর রাস্তা হয়েছে এসপ্লানেডে। রাস্তার দুধারে আলোর স্তম্ভ। রাস্তার একদিকে সুন্দর সুন্দর বাড়ি আর তার সামনে বিশাল সবুজ মাঠ। মাঠের পশ্চিম প্রান্তে বিখ্যাত হুগলী নদী। যেসব ভাগ্যবান পুরুষ স্ত্রীকে ইংল্যান্ড থেকে এখানে এনেছেন, তারা অপরাহ্নে এখানে নিয়মিত বেড়াতে এসে মনের কথা বলতে বলতে দুজনে আলিঙ্গনাবদ্ধ হয়ে চুম্বন করেন। মজার মথা, সে-দৃশ্য দেখে নেটিভরা অবাক হয়, লজ্জা পায়।

এখন এখানকার নালা-নর্দমায় আর ময়লা জমে থাকে না। এরই মধ্যে ইস্ট ইন্ডিয়া কোম্পানি শহরের মধ্যে তিনটি পুকুর খোঁড়ার সিদ্ধান্ত নিয়েছে। শহরকে সুন্দর করার জন্য ওই পুকুরগুলির চারপাশে বাগিচা থাকবে।

মজার কথা, লন্ডনকে টেক্কা দিয়ে এখান থেকে ইংরেজি সংবাদপত্র বেরুতে শুরু হয়েছে আমি ক্যালকাটায় পৌঁছবার পর পরই।

ইন্ডিয়া — বিশেষ করে ক্যালকাটার সৌভাগ্য যে, স্যার উইলিয়াম জোন্স-এর মতো একজন পণ্ডিত ও গবেষক সুপ্রিম কোর্টের বিচারপতি হয়ে এই শহরে আসেন এবং বিশেষ করে ইন্ডিয়া সম্পর্কে গবেষণার জন্য এশিয়াটি সোসাইটি প্রতিষ্ঠা করেন। এই গবেষণা প্রতিষ্ঠানের প্রধান পৃষ্ঠপোষক হন স্বয়ং লর্ড হেস্টিংস।

দুঃখের কথা, যে লর্ড ক্লাইভ পলাশীর যুদ্ধে জয়লাভ করার পর নবাবের

কাছ থেকে ক্যালকাটা কেড়ে নেন, আমি ক্যালকাটা আসার ছ-বছর আগেই তিনি লন্ডনে আত্মহত্যা করেন।

ক্যালকাটার সুখ্যাতি যত বেশি ইংল্যান্ডে পৌঁছেছে, তত বেশি ইংরেজ ছোকরার দল জাহাজে চড়ে বসছে। তাইতো এখন পথেঘাটে, অফিস-আদালতে, বাজারে ও বিশেষ করে বিভিন্ন পার্টিতে নবাগত ইংরেজদের ছড়াছড়ি। ক্যালকাটায় ইংরেজের সংখ্যা যত বাড়ছে, পার্টির সংখ্যাও তত বাড়ছে। এখন আর শুধু উইক-এন্ডে পার্টি হয় না, সপ্তাহের প্রতিদিনই পার্টি হচ্ছে।

এরই মধ্যে আমার বাসস্থান বদল হয়েছে।...

হঠাৎ রবিবার সকালে বেগমসাহেবা এসে হাজির।

ওকে দেখে অত্যন্ত আনন্দিত হয়ে আমি অভ্যর্থনা জানাই — আদাব! আপনি এসেছেন বলে খুব ভালো লাগছে।

মিঃ ফস্টার, আমি আপনাকে আমার শুভাকাঙ্ক্ষী মনে করি বলেই একটা আইডিয়া মাথায় এসেছে।

আমি হাসতে হাসতে বলি, কী এমন আইডিয়া এল যে আমার কাছে আসতে হল।

আপনি জানেন, এসপ্লানেড-পার্ক স্ট্রিটের কোণায় আমার তিনটে খুব সুন্দর দোতলা বাড়ি আছে।

আপনার মামলা লড়ার সময়ই সে-খবর জানতে পারি।

ওই তিনটে বাড়ির একটা খালি আছে ; আমার ইচ্ছা, আপনি ওই বাড়িতে থাকুন।...

না, না, অত ভাড়া দিয়ে আমি থাকতে পারব না।

অ্যাটর্নি সাহেব, আপনি আমার পুরো কথাটা আগে শুনুন।

হ্যাঁ, বলুন।

এই শহরে আমার অনেক প্রপার্টি আছে ; আর যত বেশি প্রপার্টি থাকবে, তত বেশি মামলা-মোকদ্দমাও থাকবে।

হ্যাঁ, ঠিক বলেছেন।

আইনের ব্যাপারে ঠিক পরামর্শ না পাবার জন্য আমার খুবই ক্ষতি

হচ্ছে। আমি চাইছি, আপনি আমাকে আইনের ব্যাপারে শুধু পরামর্শ দিলে আমি মাত্র পাঁচশো সিক্কা টাকায় ওই বাড়িতে থাকতে দেব।

বেগমসাহেবা সঙ্গে সঙ্গেই বলেন, তবে সুপ্রিম কোর্টে মামলা হলে তো আপনাকেই সামলাতে হবে ; প্রত্যেক মামলার জন্য আমি আপনাকে পাঁচ হাজার সিক্কা টাকা দেব।

আপনার প্রস্তাব আমার কাছে খুবই লোভনীয় কিন্তু অত কম টাকায় বাড়ি ভাড়া দিলে তো আপনার লোকসান হবে।

আপনি দয়া করে আমার প্রস্তাব মেনে নিলে আমি অত্যন্ত শান্তিতে ঘুমুতে পারব।

আমি অবাক হয়ে ওর দিকে তাকিয়ে থাকি কিছুক্ষণ ; তারপর বলি, আপনি অত্যন্ত সুন্দরী, বয়সও বেশি না। মনে হয়, আপনার বয়স পঁচিশ-ছাব্বিশের বেশি না...

উনি একটু হেসে বলেন, আয়াম জাস্ট টোয়েন্টি ফোর।

আপনার একবার শাদি হয়েছিল কিন্তু মাত্র পাঁচ-ছমাস পরই আপনার হাসব্যান্ড আপনাকে তালাক দেয়। আপনি আবার শাদি করছেন না কেন?

সবাই কি তাই চায়?

হ্যাঁ, সবাই তাই চায়।

উনি সঙ্গে সঙ্গেই বলেন, আপনি সামনের মাসের এক তারিখ থেকে আমার বাড়িতে থাকবেন তো?

হ্যাঁ, থাকব।

কিছুদিন ধরেই দেখছিলাম, দুটি মাগি যখন-তখন আমার সঙ্গে লীলাখেলায় এমনই মেতে উঠত যে আমার পক্ষে কখনোই সংযত থাকা সম্ভব হত না। তাছাড়া ওদের নিয়ে মাতামাতি করার জন্য আমারও যথেষ্ট ক্ষতি হচ্ছে। অন্য দিকে লঙ-এর সঙ্গে আমার সম্পর্ক প্রায় নেই বললেই চলে।

তাইতো মাগি দুটিকে ওর কাছে ফেরত পাঠিয়ে ছোট্ট চিরকুটে লিখলাম, বন্ধুবর, তোমার দেওয়া উপকার তোমাকেই ফেরত দিলাম। শুভেচ্ছা নিও।—ফস্টার।

কী আশ্চর্য! মাগি দুটিকে ফেরত পাঠাবার পরই আমার কাজের চাপ

অত্যন্ত বেড়ে গেল। রোজই সুপ্রিম কোর্টে অন্তত দু-তিনটে মামলা থাকে। ট্রাউজারের দুটো পকেট ভর্তি সিক্কা টাকা নিয়ে বাড়ি আসি।

এইসব মামলা মোকদ্দমার জন্য রোজই সাতসকালে মক্কেলদের সঙ্গে কাগজপত্র নিয়ে বসতে হয়। কোর্ট থেকে বিকেলে ফিরেও রেহাই নেই। বাড়িতে ঢুকতে গিয়েই দেখি, ভিজিটার্স রুমে নতুন-পুরোনো মক্কেলদের ভিড়। ওদের হাত থেকে মুক্তি পেতে পেতে রাত ন-টা বেজে যায়।

খিদমতগার!

আমার চিৎকার শুনেই একজন খিদমতগার ছুটে আসে—ইয়েস্ স্যার।

আমি ভিতরের বারান্দায় যাচ্ছি ; ওখানেই ক্লারেট দাও।

ইয়েস স্যার।

আমি বারান্দায় বসতে-না-বসতেই খিদমতগার ক্লারেট নিয়ে হাজির হয়।

খিদমতগারকে হুকুম করি, ভিতরে যাও ; আমাকে একটু একলা থাকতে দাও। আমি ঘণ্টা বাজালে ভিতরে এসো।

ইয়েস স্যার।

খিদমতগার আমাকে সেলাম দিয়ে ওখান থেকে চলে যায়।

ক্লারেটের গেলাসে দু-এক চুমুক দিয়ে দৃষ্টিটা একটু এদিক-ওদিক ঘুরাতে গিয়েই দেখি, পাশের বাড়ির বারান্দার ধারে দাঁড়িয়ে বেগমসাহেবা। ওঁর চোখে চোখ পড়তেই একটু হাসি। উনিও একটু হেসে বলেন, এতক্ষণে ছুটি হল?

হ্যাঁ, ছুটি পেয়েই তো ক্লারেটের গেলাস নিয়ে বসেছি।

নিশ্চয়ই খুব টায়ার্ড?

সত্যি খুব টায়ার্ড।

আপনি মাগি দুটোকে বন্ধুর কাছে ফেরত পাঠালেন ; ওরা থাকলে তো আপনার সেবাযত্ন করতে পারত।

আমি কোর্ট থেকে ফিরলেই ওরা দুজনে এমন অসভ্যতা শুরু করত যে আমি সব কাজকর্ম ভুলে আদিম খেলায় মেতে উঠতাম।

আমি একবার নিশ্বাস নিয়েই বলি, ওদের জন্য কাজকর্মের অসম্ভব

ক্ষতি হচ্ছিল বলেই মাগি দুটোকে ফেরত পাঠিয়ে দিলাম।

বেগমসাহেবা একটু হেসে বলেন, দেখুন মিঃ ফস্টার, যে বাঘ মানুষের রক্তের স্বাদ পেয়েছে, সে বার বার মানুষের রক্তের স্বাদ না নিয়ে শান্তিতে থাকতে পারে না।

উনি না থেমেই বলেন, ঠিক সেই রকমই, যেসব নারী-পুরুষ মাঝে মাঝে বা কিছুদিন নিয়মিত যৌন আনন্দ উপভোগ করেছে, তাদের পক্ষে বেশিদিন উপবাস করে থাকা কখনোই সম্ভব না।

হাজার হোক পেটে বিরাট এক গেলাস ক্লারেট পড়েছে ; তাইতো হাসতে হাসতে বলেই ফেলি, সুন্দরী, কথাটা তো আপনার বেলাতেও প্রযোজ্য।

উনিও হাসতে হাসতে বলেন, হ্যাঁ, হ্যান্ডসাম ইয়ং ম্যান, কথাটি আমাদের দুজনের বেলাতেই প্রযোজ্য। ভুলে যাবেন না, আমরা সবাই রক্ত-মাংসের মানুষ।

আপনার কথা শুনে বেশ উৎসাহবোধ করছি।

শুনুন।

হ্যাঁ, বলুন।

কাল মক্কেলরা চলে গেলে আমার এখানে আসবেন ফর ড্রিঙ্কস্ অ্যান্ড সাপার। কাল সকালেই খানসামাকে সেকথা জানিয়ে দেবেন।

হ্যাঁ, দেব।

তিনটে সিঁড়ি ভেঙে লতায়-পাতায় ঘেরা বারান্দাতে পা দিতে-না-দিতেই বেগম সাহেবা একগাল হেসে আমার একটা হাত ধরে বলেন, আজ আপনি প্রথম দিন আমার বাড়িতে পা দিলেন। আয়াম রিয়েলি ভেরি হ্যাপি অ্যান্ড অনার্ড।

আপনি আমাকে আমন্ত্রণ করেছেন বলে সত্যি সম্মানিতবোধ করছি।

আমার হাত ধরে একটু টান দিয়ে উনি বলেন, অত ফর্মালিটি না করে বন্ধুর মতো কথা বলুন।

বেগমসাহেবার সঙ্গে ঘরের মধ্যে পা দিয়েই আমি মুগ্ধ হয়ে দেখি ঘরের সাজসজ্জা।

রিয়েলি ওয়ান্ডারফুল।

বেগমসাহেবা একটু হেসে বলেন, কী ওয়ান্ডারফুল?

আপনি যেমন অত্যন্ত সুন্দরী, এই ঘরের সাজসজ্জাও আপনার রুচি ও রূপের সঙ্গে সঙ্গতি রেখে অতীব সুন্দর।

আমি না থেমেই বলি, এই ঘর দেখেই আন্দাজ করতে পারছি, নবাব বাহাদুররা তাদের প্রাসাদ কীভাবে সাজাতেন।

মাই ডিয়ার ফ্রেন্ড, আপনি যার বাড়িতে এসেছেন, তার শরীরেও নবাব আলিবর্দী খাঁ-র রক্ত বইছে।

মাই গড!

বেগমসাহেবা আলতো করে আমার কোমর জড়িয়ে ধরে বলেন, চলুন, পাশের ঘরে যাই। ওখানে ড্রিঙ্ক করতে করতে কথা হবে।

পাশের ঘরটিকে আমার আরও ভালো লাগল। আমি হাসতে হাসতে বলি, বেগমসাহেবা, কী করে এই ঘর ছেড়ে যাব, তা ভেবে পাচ্ছি না।

আপনাকে তো ঘর ছেড়ে যেতে বলব না ; আপনি থাকলে আমি খুশি হব।

জেনে খুশি হলাম।

বেগমসাহেবা দুটো গেলাসে ক্লারেট ঢেলে একটা আমার হাতে তুলে দেন আর অন্য গেলাসটি নিজের হাতে নিয়ে বলেন, ফর আওয়ার ফ্রেন্ডশিপ অ্যান্ড ওয়ান্ডারফুল নাইট।

ইয়েস ইয়েস, বেগমসাহেবা।

গেলাসটি মুখের কাছে নিতেই উনি আমার হাত টেনে ধরে গেলাসে এক চুমুক দেন। ব্যস, আমিও সঙ্গে সঙ্গে ওর গেলাসে চুমুক দিই।

আমরা দুজনে দুজনের দিকে তাকিয়ে শুধু হাসি ; কোনো কথা বলি না।

দুজনেই গেলাসে চুমুক দিই।

বেগমসহেবা আমার মুখে এক টুকরো মাংস দেন। আঃ কী নরম, কী সুস্বাদু!

কেমন লাগল?

খুব ভালো ; এর নাম কী?

কাবাব। ড্রিঙ্কের সঙ্গে খেতে ভালো লাগে, তাই না?

হ্যাঁ, ঠিক বলেছেন।

গেলাস খালি হয় ; বেগমসাহেবা আবার দুটো গেলাস ভরে একটা গেলাস আমার হাতে তুলে দেন।

এবার বলি, কোনো খিদমতগার বা খানসামাকে তো দেখছি না।

আমার কোনো পুরুষ কর্মচারী নেই ; সব কর্মচারীরাই মহিলা ও বয়স্কা।

তাই নাকি?

হ্যাঁ।

উনি মুহূর্তের জন্য থেমে বলেন, ওরাই রান্নাবান্না করে, ঘরদোর পরিষ্কার-পরিচ্ছন্ন করে, কাপড়চোপড় কাচে ; একজন আছে যে প্রতিদিন দু-ঘন্টা ধরে আমার সারা শরীরে তেল মালিশ করার পর আমাকে স্নান করিয়ে দেয়।

আমি একটু হেসে বলি, বোধ হয়, সেই জন্যই আপনার শরীর এত সুন্দর আছে।

বেগমসাহেবা আমার মুখের সামনে মুখ নিয়ে একটু হেসে বলেন, শরীরটা সুন্দর না রাখলে কি আপনাকে এভাবে টেনে আনতে পারতাম?

না, আমি আর দেরি করি না, দেরি করতে পারি না। আমি দু-হাত দিয়ে ওর মুখখানা ধরে একটা দীর্ঘ চুম্বন দিই।

উনিও সঙ্গে সঙ্গে দু-হাত দিয়ে আমায় গলা জড়িয়ে ধরে আমার ঠোঁটে ভালোবাসা ঢেলে দেন।

তারপর আমি ওকে বুকের কাছে টেনে নিয়ে বলি, আশেপাশে আপনার কোনো কর্মচারী আছে কি?

আপনি আসবেন বলে ওদের আগেই ছুটি দিয়েছি ; এই বাড়িতে এখন শুধু ফস্টার আর আয়েষা।

আমি একগাল হেসে বলি, দ্যাটস্ লাভলি।

আর ড্রিঙ্ক করবেন?

আপনিই বলুন, আর ড্রিঙ্ক করব কিনা।

একটু দিচ্ছি কিন্তু বেশি খেতে দেব না।

কিন্তু কেন?

বেশি ড্রিঙ্ক করলেই নেশার ঘোরে ঘুমিয়ে পড়বেন আর রাতভোর আনন্দ করার সুযোগ নষ্ট হবে।

না, আর ধৈর্য ধরতে পারি না। আমি আয়েষাকে জড়িয়ে ধরে টানতে টানতে ডিভানে শুইয়ে দিই।

এখানে না, চলো, পাশের ঘরে যাই।

অপূর্ব সাজসজ্জায় সাজানো শোয়ার ঘর, বিরাট খাটের দুদিকে দুটো বিশাল আয়না।

তারপর?

সব সংযম বিসর্জন দিয়ে আমরা দুজনে উন্মাদের মতো আদিমতম লীলাখেলায় মেতে উঠি।

ফস্টার!

হ্যাঁ, বলো।

বহুদিনের অতৃপ্তি আজ তুমি ঘুচিয়ে দিলে।

অতৃপ্তি সত্যি দূর হয়েছে?

হ্যাঁ, সত্যি দূর হয়েছে।

আয়েষা সঙ্গে সঙ্গে বলে, আমি কি তোমাকে খুশি করতে পেরেছি?

তুমি আমাকে আনন্দে খুশিতে ভরিয়ে দিয়েছ।

শুনে ভালো লাগল।

ও আমার একটা হাত ধরে বলে, চলো, খাই।

হ্যাঁ, চলো।

খাওয়া-দাওয়ার পর আয়েষা বলে, আজ রাত্রে আর তোমার বাড়ি ফিরতে হবে না।

তোমার কাছেই থাকব?

হ্যাঁ।

যদি আবার ভিতরের পাগলটা খেপে ওঠে?

কিছু চিন্তা করো না ; তোমার পাগলকে ঠান্ডা করার মন্ত্র আমার জানা আছে।

চার

বৃদ্ধা গ্রান্ড মাদারের কাছে অ্যাঞ্জেলিনা এই পরিবার সম্পর্কে মাঝে মাঝেই পুরোনো দিনের কথা শোনে।

বৃদ্ধা আদরের নাতনীর একটা হাত ধরে বলেন, জানো সুইটি, এই পরিবারে একটা বৈশিষ্ট্য হচ্ছে, সবারই একটা করে ছেলে হয়েছে ; আমার ভাগ্য ভালো যে তুমিই এই বংশের প্রথম মেয়ে।

তাই নাকি?

হ্যাঁ।

বৃদ্ধা মুহূর্তের জন্য থেমে বলেন, তোমার মা ওয়াজ এ প্রেটি গুড গার্ল। খুব ছোটোবেলায় মাকে হারিয়েছিল বলে আমাকে ঠিক মায়ের মতোই ভালোবাসত, শ্রদ্ধা করত।

অ্যাঞ্জেলিনা চুপ করে ঠাকুমার কথা শোনে।

আমি ওকে সবসময় বলতাম, তুমি আমাকে একটা গার্লফ্রেন্ড উপহার দিলে আমি খুব খুশি হব।

অ্যাঞ্জেলিনা হাসতে হাসতে বলে, আমার জন্মের পর তুমি খুব খুশি হয়েছিলে?

দারুণ!

বৃদ্ধা না থেমেই বলেন, গ্রেগ তোমার জন্মের খবর দিতেই আমি ছুটে গিয়েছিলাম চার্চে। হাঁটু গেড়ে বসে দু-হাত জোড় করে ফাদার জেসাসকে শত কোটি প্রণাম জানাই।

অ্যাঞ্জেলিনা হাসতে হাসতে বলে, আমাকে পেয়ে তুমি নিশ্চয়ই হতাশ হয়েছ।

নট অ্যাট অল।

প্রিয় নাতনীকে বুকে জড়িয়ে ধরে বৃদ্ধা বলেন অত্যন্ত দুঃখের কথা, তুমি মাত্র পাঁচ বছর বয়সে মাকে হারালে।...

মা-র কী হয়েছিল?

তোমার মা এক ঘনিষ্ঠ বন্ধুর সঙ্গে সুইজারল্যান্ড বেড়াতে গিয়েছিল। সেবার সারা ইউরোপেই প্রচণ্ড ঠান্ডা পড়েছিল ; তাছাড়া হরদম স্নো ফল হত।

অ্যাঞ্জেলিনা চুপ করে ঠাকুমার কথা শোনে।

আমাদের লন্ডনে যা ঠান্ডা পড়েছিল, তার চাইতে অনেক বেশি ঠান্ডা পড়েছিল সুইজারল্যান্ডে। তার মধ্যেই দুই বন্ধু ঘুরে-ফিরে বেড়িয়েছেন। যথারীতি ফ্লুতে আক্রান্ত হয়ে তোমার মা লন্ডনে ফিরে এসেই হাসপাতালে ভর্তি হলেন।

তারপর?

তারপর আর তোমার মা বাড়ি ফিরে এলেন না ; বারো দিন যুদ্ধ করার পর তোমার মা হেরে গেলেন।

অ্যাঞ্জেলিনা ওর ঠাকুমাকে জড়িয়ে ধরে একটু হেসে বলে, সত্যি কথা বলতে কী, তোমার জন্য আমি কোনোদিন মায়ের অভাববোধ করিনি।

ও না থেমেই বলে, তোমার কাছেই শুনেছি, মায়ের মৃত্যুর দুঃখ বাবা ঠিক সহ্য করতে পারেননি ; কোনোদিন নিজের ঘরেই চব্বিশ ঘণ্টা বসে থাকতেন, আবার কোনোদিন যথারীতি সাতসকালে হাসপাতালে গিয়ে অনেক রাত্রে বাড়ি ফিরতেন।

বৃদ্ধা একটা চাপা দীর্ঘশ্বাস ফেলে বলেন, আমার ছেলেকে নিয়ে আমি সত্যি গর্ববোধ করতাম। পূর্বপুরুষদের কোনো বদগুণ ওর ছিল না ; ও ঠিক নিজের বাবার মতো আদর্শবান, চরিত্রবান ছিল।

হ্যাঁ, বাবাও আমাকে সেকথা বলতেন।

কানাডা যাবার আগে ও আমাকে বলল, বিয়ের আগে আমি আর এলিনা একসঙ্গে হাসপাতাল থেকে বেরিয়ে এক এক দিন লন্ডনের এক-একটা এলাকা ঘুরে বেড়াতাম। বিয়ের পরও আমরা একইভাবে এই শহরটা চষে বেড়িয়েছি। তাইতো যেখানেই যাই-না কেন, সর্বত্রই এলিনাকে দেখি।

অ্যাঞ্জেলিনা একটু হেসে বলে, যার একাধিক পূর্বপুরুষ চরম উচ্ছৃঙ্খল

জীবনযাপন করেছেন, সেই বংশের ছেলে হয়ে যে বাবা আমার মাকে এত ভালোবাসতেন, তার জন্য সত্যি গর্ব হয়।

হ্যাঁ, সুইটি, তুমি ঠিক বলেছ।

অ্যাঞ্জেলিনা হঠাৎ গম্ভীর হয়ে বলে, এই ফস্টার পরিবারে জন্মেছি বলে কারণে-অকারণে ছোটোবেলা থেকেই ইন্ডিয়া-ইন্ডিয়া শুনেছি। লন্ডনের নানা পত্র-পত্রিকায় ইন্ডিয়াকে বাঘ-সাপের দেশ, অশিক্ষিতের দেশ, উলঙ্গ সাধুদের দেশ ইত্যাদি ইত্যাদি বলে বর্ণনা করা হয়।

বৃদ্ধা মেরি ফস্টার একটু হেসে বলেন, মাই ডিয়ার ফ্রেন্ড, ইন্ডিয়ানরা ব্রিটিশ গভর্নমেন্টের বিরুদ্ধে দীর্ঘ সংগ্রাম করে স্বাধীনতা লাভ করেছে কিন্তু কিছু ইংরেজ বুদ্ধিজীবী সেটা মেনে নিতে পারেননি।

হ্যাঁ, ঠিক বলেছ।

ওইসব ইংরেজরা মনে করেন, অন্য জাতির তুলনায় আমরা অনেক বেশি উন্নত, অনেক বেশি শিক্ষিত ও অনেক বেশি শক্তিশালী। তাইতো এশিয়া-আফ্রিকার দেশগুলিকে উন্নত করতে হলে, ওইসব দেশের মানুষকে শিক্ষিত করতে হলে ওইসব দেশে ইংরেজের রাজত্ব করা অবশ্যই দরকার।

গ্রান্ডমা, আমি তো মাত্র কয়েক মাস হল 'স্কুল অব ওরিয়েন্টাল অ্যান্ড আফ্রিকান স্টাডিজ'-এ ভর্তি হয়ে ইন্ডিয়া নিয়ে পড়াশুনা করছি।...

হ্যাঁ, আমি চাই, তুমি সত্যিকার ইন্ডিয়াকে আবিষ্কার করে এই দেশের মানুষকে জানাও ; সেইজন্যই তো আমি তোমাকে ওইখানে ভর্তি হতে উৎসাহ দিয়েছি।

জানো গ্রান্ডমা, আমি এর মধ্যেই জেনেছি, ইন্ডিয়ান সিভিলাইজেশনের বয়স পাঁচ হাজার বছরের বেশি।

তাই নাকি?

হ্যাঁ, সত্যিই তাই।

অ্যাঞ্জেলিনা মুহূর্তের জন্য থেমে বলে, তুমি ভাবতে পারো, ভগবান যীশুর জন্মের দুশো বছর আগে গ্রিসের হাটে-বাজারে বিক্রি হত ইন্ডিয়ার তুলো।

আই সি।

আরও একটা কথা শুনলে তুমি অবাক হবে।

কী কথা?

যীশুর জন্মের শত শত বছর আগে মিশরই ছিল ভারতে উৎপন্ন জিনিসপত্রের প্রধান বাজার। তখন মিশর মৃতদেহকে যুগ যুগ ধরে সতেজ রাখত, তার উপাদান আসত ভারত থেকেই।

সত্যি শুনলে মাথা ঘুরে যায়।

অ্যাঞ্জেলিনা হাসতে হাসতে বলে, এখনই মাথা ঘুরলে চলবে কেন? আরও কিছু শোনো।

হ্যাঁ, বলো।

বাঙালি মেয়েদের হাতে তৈরি হত পৃথিবীর সব চাইতে সুন্দর, সব চাইতে মসৃণ, সব চাইতে পাতলা 'মসলিন' কাপড়; সেই কাপড়ের আকাশতুঙ্গী চাহিদা ছিল, চিন, তুরস্ক, আরব, সিরিয়া, পারস্য ও ইথিওপিয়ার বাজারে। তারপর সে-কাপড় ছড়িয়ে পড়ত আরও কত দেশে।

শুনে মনে হয়, আরব্য উপন্যাসের কাহিনি।

হ্যাঁ, সত্যিই তাই মনে হচ্ছে।

অ্যাঞ্জেলিনা না থেমেই বলে, ভারতীয় রাজাদের কাছে বহু দেশের দূত এসেছেন শুধু 'মসলিন' কাপড়ের স্যাম্পল সংগ্রহের জন্য।

এইসব তুমি জানলে কী করে?

গ্রান্ডমা, এখন ইন্ডিয়া সম্পর্কে মোটামুটি একটা ধারণা সৃষ্টির জন্য বিভিন্ন অধ্যাপকরা আমাদের ক্লাসে বক্তৃতা দিচ্ছেন। এইসব তাঁদের কাছ থেকেই জেনেছি।

বুঝেছি।

ইতিহাসের সেই মধ্য যুগে পশ্চিম ভারতের সুরাট বন্দরে জমা হত সারা ভারতের শ্রেষ্ঠ পণ্য সামগ্রী...

যেমন?

বাংলার 'সিল্ক মসলিন', গুজরাটের কার্পাস, মালাবারের গোলমরিচ, আগ্রার নীল, পাটনার কস্তুরী ছাড়াও সিংহল, জাভা, সুমাত্রার কত সুগন্ধী মশলা। তারপর নানা দেশ ঘুরে এইসব পন্য হাজির হত ইউরোপের নানা শহরে।

তোমার কথা যত শুনছি, তত অবাক হচ্ছি।

অ্যাঞ্জেলিনা হাসতে হাসতে বলে, মাই ডিয়ার গ্রান্ডমা, ইন্ডিয়ার কথা যত জানবে, ততই অবাক হবে।

ও একটু থেমে বলে, ইউরোপের বাজারে খুবই চড়া দামে ওইসব ভারতীয় মশলা বিক্রি হত।

কেন চড়া দামে বিক্রি হত?

ইউরোপের মানুষ মাংস খেত কিন্তু জানত না মাংসকে কী করে আকর্ষণীয় করা যায়। মাংসকে সুস্বাদু করত ভারতীয় মশলা ; তাছাড়া বিশেষ কিছু ভারতীয় মশলা মাখিয়ে মাংসকে সংরক্ষণ করা যেত এবং সেই মাংসকে আট-দশ দিন পরেও খাওয়া যেত।

ভেরি ইন্টারেস্টিং!

ভারতীয় মশলা বেচেই ভেনিস বন্দরের অভাবনীয় সমৃদ্ধি পর্তুগালের ঈর্ষার কারণ হল। ভারতীয় মশলা দিয়ে শুধু খাবার-দাবারই সুস্বাদু হত না, বেশ কিছু মশলা দিয়ে নানারকম অসুখ-বিসুখের চিকিৎসা হত।

পর্তুগাল সম্রাট সোনার দেশ ইন্ডিয়া দখল করার জন্য মরিয়া হয়ে উঠলেন। তাইতো রাজার আদেশ ও পৃষ্ঠপোষকতায় ১৪৯৭ সালের ৮ জুলাই শনিবার অসংখ্য দেশবাসীর শুভেচ্ছা নিয়ে পর্তুগিজ সেনাপতি ভাস্কো-ডা-গামা ১০৬ নাবিক, মোট চারটি জাহাজ, খাদ্যদ্রব্য আর যথেষ্ট অস্ত্র নিয়ে ভারতের উদ্দেশে যাত্রা করেন।

এইটুকু বলে অ্যাঞ্জেলিনা একটু থেমে বলে, গ্রান্ডমা, ইন্ডিয়া সম্পর্কে আরও অনেক কথা পরে বলব।

হ্যাঁ, নিশ্চয়ই বলবে।

তবে তার আগে আমার বিখ্যাত পূর্বপুরুষের ডায়েরি আরও একটু পড়ি।

একে পরমা সুন্দরী, সারা শরীরে উন্মত্ত যৌবনের মাতলামি ও সর্বোপরি বিপুল সম্পত্তির অধিকারিণী।

বেগমসাহেবার বিশেষ ঐতিহ্যেরও অধিকারিণী ; এর দিদিমা ছিলেন নবাব আলিবর্দী খাঁ-র বড়ো আদরের প্রাণ-প্রিয় রক্ষিতা ; বেগমসাহেবার আম্মাজান ছিলেন নবাব আলিবর্দী খাঁ-র প্রিয় নাতনী ও নবাব

সিরাজ-উদ-দৌলার পরম প্রিয় লীলাসঙ্গিনী।

চরম উচ্ছৃঙ্খল যুবক সিরাজের ঔরসেই আয়েষায় জন্ম। তাইতো সে সন্ধ্যার পরই প্রিয় পুরুষকে নিয়ে আদিমতম খেলায় মেতে ওঠার জন্য পাগল হয়। ঠিক পাশের বাড়িতে মিঃ ফস্টারকে রেখেছে এই মহৎ উদ্দেশ্যেই।

তবে খুব স্বাভাবিকভাবেই অ্যাটর্নি ফস্টার ওর জীবনে প্রথম পুরুষ না ; আয়েষা যখন ষোড়শী, তখনই সে নবাব প্রাসাদের এক ছোকরা কর্মচারীর প্রেমে পড়ে ভেসে যায়। তবে ইদানীং সে ইংরেজ প্রেমিকদেরই বেশি পছন্দ করছে।

এদিকে দিন দিনই ফস্টারের কাজের চাপ বাড়ছে। রোজ বিকেল থেকেই ভিজিটারদের ঘরে নিত্যনতুন মক্কেলদের ভিড় জমতে শুরু করে।

সারা দিনে সুপ্রিম কোর্টে আট-দশটা মামলা লড়ে রীতিমতো ক্লান্ত হয়েই ফস্টার বাড়ি ফেরেন বিকেলের দিকে। সাহেবকে দেখেই ছুটে আসে দুই মাগি ; ওদের একজন সাহেবের কোর্টের পোশাক খুলে নেয় আর অন্যজন হাওয়া করে। কিছুক্ষণ পরে ওরা দুজনেই সাহেবের আপাদমস্তক টিপে দেয়।

সাহেব, ভালো লাগছে?

হ্যাঁ, খুব ভালো লাগছে কিন্তু এবার আমাকে ছেড়ে দে।

কেন?

তোরা জানিস না, ঘরভর্তি মক্কেলরা বসে আছে।

ওরা বসে থাক ; তুমি একটু আনন্দ করবে না?

যেদিন কোর্ট বন্ধ থাকবে, সেদিন আনন্দ করব।

তাতে কি তোমার বা আমাদের মন ভরবে?

মিঃ ফস্টার একটু হেসে বলেন, তোরা তো নতুন আমদানি ; তাই বুঝতে পারছিস না, রোজ সুপ্রিম কোর্টে আমাকে কত মামলা সামলাতে হয়।

উনি সঙ্গে সঙ্গেই বলেন, এবার তোরা যা ; আমাকে কিছু খেয়েই চেম্বারে বসতে হবে।

তখন কলকাতা ব্রিটিশ সাম্রাজ্যের দ্বিতীয় মহানগরী হবার গৌরব অর্জন করেনি। আগের তুলনায় কলকাতার রাস্তাঘাটের উন্নতি হয়েছে। নর্দমাগুলি মোটামুটি পরিষ্কারই থাকে কিন্তু সন্ধের পর রাস্তাগুলো আলকোজ্জ্বল হয়ে ওঠে না। তেলের প্রদীপেই বাসিন্দাদের বাড়ি আলোকিত হয়। সাহেবসুবাদের বাড়ি সুন্দর কাচে ঘেরা থাকে সেইসব প্রদীপের আলো।

সন্ধের পর পরই রাস্তাঘাটে মানুষজনের যাতায়াত অসম্ভব কমে যায়। দু'তিন প্রহর যেতে-না-যেতেই শহরের নানা অঞ্চলে শেয়ালের ডাক শোনা যায়। শেয়ালের ভয়ে মক্কেলরা আস্তে আস্তে বিদায় নেন ফস্টার সাহেবের বাড়ি থেকে।

টেবিলের পিছন দিকে রাখা বেশ কিছু ফাইল টেবিলের মাঝখানে রেখেই ফস্টার গলা চড়িয়ে বলেন, খিদমতগার!

ইয়েস স্যার।

খানসামা!

ইয়েস স্যার।

কয়েক মিনিটের মধ্যেই খিদমতগার খানসামাকে ডেকে আনে।

খানসামা সেলাম দিতেই মিঃ ফস্টার টেবিলের উপর রাখা ফাইলগুলো দেখিয়ে বলেন, বেগমসাহেবার মামলার এইসব ফাইল নিয়ে আমি ওর বাড়ি যাচ্ছি। উনি কোর্টেই আমাকে খবর পাঠিয়ে জানিয়েছেন, আরও মামলার নোটিশ এসেছে।

খানসামা একটু হেসে বলে, ইতনা জ্যাদা প্রপার্টি থাকলে বেশি মামলা তো হবেই।

দ্যাটস রাইট।

ফস্টার ফাইলগুলো হাতে তুলে নিয়েই বলেন, আমি বেগমসাহেবার কাছে যাচ্ছি ; জানি না, কতক্ষণ বকবক করতে হবে। যাইহোক আমার খাবার ভালোভাবে রেখে ভিতরের দরজা বন্ধ করে দিও।

ইয়েস্ স্যার।

আমি সামনের দরজা খোলা রেখে যাচ্ছি ; দারোয়ানকে বলো, খেয়াল রাখতে।

ইয়েস স্যার।

বেগমসাহেবার ভিতরের লিভিং রুমে ঢুকেই মিঃ ফস্টার ঝপাং করে হাতের ফাইলগুলো একটা সেন্টার টেবিলে ফেলেই হাসতে হাসতে বলেন, ডার্লিং, তোমার জন্য কত অভিনয় যে করতে হয়, তা আর কী বলব!

আয়েষা মৃদু হেসে ওর থুতনি ধরে বলেন, মাই ডিয়ার ফস্টার, তুমি আমার মতো সুন্দরী যুবতীকে প্রাণভরে উপভোগ করবে আর তার জন্য সামান্য ক-টা মিথ্যা বলতে পারবে না?

ওর কথা শুনে মিঃ ফস্টার হাসেন।

তুমি কি জানো, কাপ্টেন ফার্লো আমাকে বলেছিল, যদি তুমি আমাকে একবার কিস করতে দাও, তাহলে আমি তোমাকে এক হাজার সিক্কা টাকা দেব।

আয়েষা আলতো করে ফস্টারকে চুমু খেয়ে বলে, কত পুরুষ যে আমাকে পাবার জন্য...

ফস্টার ওকে কাছে টেনে নিয়ে বলে, ডার্লিং, প্লিজ অন্যদের কথা বাদ দাও।

হ্যাঁ, চলো, ক্লারেট পান করি।

হ্যাঁ, চলো।

ক্লারেট খেতে খেতেই ওদের কথা হয়।

আচ্ছা ফস্টার, তুমি নিজের দেশ ছেড়ে এখানে এলে কেন?

মিঃ ফস্টার একটু হেসে বলেন, সব চাইতে বড়ো কথা, আমরা এই দেশ জয় করেছি ; সুতরাং এই দেশকে শাসন করার জন্য বহু ধরনের ইংরেজকে তো এখানে আসতেই হবে।

আয়েষা একটু হেসে বলেন, আমি জানতে চাইছি, তুমি সাত সমুদ্র তেরো নদী পার হয়ে এখানে কেন এলে?

অ্যাটর্নির কাজ করব বলে এলাম।

বিলেতে অ্যাটর্নিদের কাজ নেই?

থাকবে না কেন?

ওখানে কাজ থাকতেও এখানে এলে কেন?

আমার এক ঘনিষ্ঠ বন্ধু আমাকে জানায় যে এখানে এলে লন্ডনের থেকে

বেশি আয় করা যাবে ; তাই...

আয়েষা মুচকি হেসে বলেন, বন্ধু শুধু বেশি আয়ের কথা জানায়?

না, তা না...

বন্ধু নিশ্চয়ই জানিয়েছিল, এখানে এলে বেশ স্ফূর্তিতেই জীবন কাটাতে পারবে।

হ্যাঁ, তাও জানিয়েছিল।

তাহলে আসল কথা হচ্ছে, টাকা আর মেয়েছেলের লোভেই তুমি এখানে এসেছ।

আয়েষা গেলাস খালি হতে-না-হতেই আবার ভরে দেয় ; ক্লারেট ভর্তি গেলাস খালি হয়। আয়েষা আবার সে-গেলাস ভরে দেয়।

মাই ডিয়ার আয়েষা, বিলেতে মেয়ে বন্ধু পাওয়া যায়, তাদের সঙ্গে দৈহিক মিলনও হয় কিন্তু এখানে যেভাবে মাগিরা আমাদের সেবা করে যৌন আনন্দ দেয় নানা ছলাকলা করে, তা আমাদের দেশের মেয়েরা কখনোই করবে না।

আয়েষা একটু হেসে বলেন, আবার বলছি, তোমরা এখানে এসেছ, প্রাণভরে মেয়েছেলেদের সঙ্গে যথেচ্ছভাবে স্ফূর্তি করবে আর অন্যদিকে ন্যায়-অন্যায় যেভাবেই হোক প্রচুর টাকা আয় করবে।

হ্যাঁ, তা বলতে পারো।

ফস্টার সঙ্গে সঙ্গে বলেন, আয়েষা, ভুলে যেও না, ইংরেজ বুদ্ধি আর শক্তির জোরে অর্ধেক পৃথিবী শাসন করছে। আবার যেসব দেশ আমরা শাসন করছি, সেইসব দেশই উন্নত করছি ; তার বিনিময়ে কি আমাদের কোনো প্রাপ্য নেই?

ওর কথা শুনে দপ্ করে জ্বলে ওঠে আয়েষা ; বলে, ফস্টার, ভুলে যেও না, বাংলার শেষ স্বাধীন নবাবের রক্ত আমার সারা শরীরে ছড়িয়ে রয়েছে। আমি অন্তত তোমার অহংকার বরদাস্ত করতে পারব না। তুমি এখুনি আমার বাড়ি থেকে বেরিয়ে যাও ; তাছাড়া সাত দিনের মধ্যে আমার ওবাড়ি ছেড়ে চলে যাবে।

অয়েষা, প্লিজ...

কোনো কথা না, প্লিজ গেট আউট।

হ্যাঁ, ফস্টার মাথা নিচু করে বেগমসাহেবার বাড়ি থেকে বেরিয়ে আসে।

মিঃ ফস্টার পরের দিন সকালেই কার্লটনের বাড়ি যায় কিন্তু দেখা হল না। দারোয়ান বলল, সাহেব পাটনা গিয়েছেন ব্যবসার কাজে ; বলেছেন, ছ-মাসের আগে ফিরতে পারবেন না।

অ্যাটর্নি হিসেবে কয়েকটি মামলা জিতে বেশ কিছু অর্থ আয় করলেও এই শহরে লঙ আর কার্লটন ছাড়া ফস্টারের কোনো ঘনিষ্ঠ বন্ধু নেই। তাইতো অনেক দ্বিধা সত্ত্বেও ফস্টার সন্ধের পর লঙ সাহেবের আস্তানায় হাজির।

ওকে দেখেই লঙ হাসতে হাসতে বলেন, হোয়াট এ প্লেজান্ট সারপ্রাইজ! এসো বন্ধু, এসো।

লিভিং রুমে ঢুকেই লঙ বলেন, ফস্টার, আগে বলো, কেমন আছ?

মিঃ ফস্টার মৃদু হেসে বলেন, লঙ, তুমি আমার বন্ধু হলেও বলব, তুমি মানুষ হিসেবে আমার চাইতে অনেক বড়ো, অনেক ভালো, অনেক উদার।

লঙ হো-হো করে হাসতে হাসতে বলেন, হঠাৎ আমাকে এত মহৎ ভাবার কারণ?

হ্যাঁ, বন্ধু, কারণ আছে।

শুনি কী কারণ আছে।

এর আগে যখন আমাদের দেখা হয়, তখন তুমি আমাকে বলেছিলে, সারাদিন মাগিদের নিয়ে যৌন আনন্দে মত্ত থাকলে আমার ক্ষতি হবে কিন্তু আমি তোমার সৎ পরামর্শ অগ্রাহ্য করে তোমাকে অপমান করি।

লঙ আবার হাসতে হাসতে বন্ধুর দুটি হাত ধরে বলেন, ছোটোবেলায় তো আমরা কত মারামারিও করেছি কিন্তু তা কি আমরা মনে রেখেছি?

ছোটোবেলার কথা আলাদা কিন্তু...

নো কিন্তু ; বন্ধুদের মধ্যে এসব তো হয়ই। গতবারের কথা ভুলে যাও। এখন বলো, কেমন আছ?

ভালো নেই।

লঙ একটু হেসে বলেন, কেন? আয়েষা বেগমের সঙ্গে ঝগড়া হয়েছে?

ওই কথা শুনে ফস্টার অবাক না হয়ে পারেন না ; বলেন, হঠাৎ ওই বেজন্মা মাগির কথা বলছ কেন?

আমি যখনই শুনলাম, তুমি ওর বাড়িতে গিয়েছ ও ওর সঙ্গে রাত কাটাচ্ছ, তখনই জানি, তোমার কপালে দুঃখ আছে।

তুমি এইসব খবর জানলে কী করে?

তুমি আয়েষার বাড়িতে থাকছ, সেকথা কলকাতা শহরের হাজার হাজার মানুষ জানে। তাছাড়া ভুলে যেও না, তোমার যে পঞ্চাশ-ষাটজন কর্মচারী আছে, তারা তো তোমার কীর্তিকলাপ জানছে।

হ্যাঁ, তারা তো নিশ্চয়ই জানতে পারে।

ওদের কাছ থেকেই খবর ছড়িয়ে পড়ে চারদিকে।

যাইহোক কাল অনেক রাতে ওই মাগি আমাকে অপমান করে বাড়ি থেকে তাড়িয়ে দিয়ে বলেছে, সাত দিনের মধ্যে ওর বাড়ি ছেড়ে দিতে।

আয়েষা তো এই খেলাই খেলে।

মিঃ লঙ না থেমেই বলেন, তোমার বয়স বেশি না, তাছাড়া অত্যন্ত হ্যান্ডসাম, সর্বোপরি অ্যাটর্নি হিসেবে নাম-ধাম হয়েছে ও ভালো আয় করছ, তাইতো কিছুদিন স্ফূর্তি করার লোভ সামলাতে পারল না।

মাই ডিয়ার ফ্রেন্ড, আয়েষার কথা থাক। এখন বলো, আমি কোথায় থাকব।

মিঃ লঙ একটু হেসে বলেন, আমাদের সৌভাগ্য, এই কলকাতা শহরের সব বাড়ির মালিক আয়েষা না ; সুতরাং অত চিন্তার কী আছে।

কিন্তু আমি তো বাড়ির চিন্তায় পাগল হবার উপক্রম।

আমি কলকাতা শহরের সব চাইতে বিখ্যাত ব্যক্তি না হলেও বহুজনের সঙ্গেই আমার অত্যন্ত মধুর সম্পর্ক আছে।

লঙ একবার নিশ্বাস নিয়েই বলেন, সত্যি কথা বলতে কী, বহুজনের সঙ্গে সুসম্পর্ক আছে বলেই আমি যথেষ্ট উপকৃত।

তাহলে আমি নিশ্চিন্তে এখন বাড়ি যেতে পারি?

হ্যাঁ, হ্যাঁ, যাও ; দু-তিন দিনের মধ্যেই তোমার সমস্যার সমাধান হয়ে যাবে।

ফস্টার দু-হাত দিয়ে লঙকে বুকের মধ্যে জড়িয়ে ধরে বলেন, আমি

অনেক ভাগ্য করে তোমার মতো বন্ধু পেয়েছি ; আমি আর কখনো তোমার অমতে কিছু করব না।

বন্ধুর কথা শুনে মিঃ লঙ হো-হো করে হেসে ওঠেন।

আর্মেনিয়ানরা সুদূর ইউরোপ থেকে কলকাতা এসেছিল ব্যবসাবাণিজ্য করতে ও স্থানীয় মানুষদের সঙ্গে বন্ধুদের সম্পর্ক গড়ে তোলে। তাইতো তারা পলাশীর যুদ্ধের সময় ও তার পরে বাংলার নবাবকেই সমর্থন ও ইংরেজদের বিরুদ্ধাচরণ করে। ভারতবাসীর উপর ইংরেজদের আধিপত্য আর্মেনিয়ানরা কখনই সুনজরে দেখেনি এবং সেইজন্য ইংরেজরা আর্মেনিয়ানদের সঙ্গে স্বাভাবিক সম্পর্ক গড়ে তোলেনি।

শান্তিপ্রিয় আর্মেনিয়ানরা সবরকম দ্বিধা-দ্বন্দ্ব এড়িয়ে ব্যবসাবাণিজ্য করে যথেষ্ট সাফল্যলাভ করে ও কলকাতা শহরে বেশ কিছু সম্পত্তির মালিক হয়।

এক আর্মেনিয়ান বৃদ্ধা বিধবার সুন্দর একটি বাড়ি ছিল স্ট্রান্ডের ধারে, হুগলী নদীর পাড়ে।

বন্ধু ফস্টারকে নিয়ে মিঃ লঙ সেখানে হাজির হয়েই দু-হাত দিয়ে বৃদ্ধাকে আলিঙ্গন করে বলেন, মাম্মি, আপনাকে খুব কষ্ট দিলাম তো।

নো, নো, মাই সন, আমার কোনো কষ্ট হয়নি। তাছাড়া তুমি তোমার বন্ধুকে নিয়ে আসবে আর আমি আসব না, তাই কি হয়?

মাম্মি, এই যে আমার ছোটোবেলার বন্ধু ফস্টার খুব অল্প দিনের মধ্যেই অ্যাটর্নি হিসেবে বেশ নাম করেছে।

বৃদ্ধা একগাল হেসে বলেন, তোমার বন্ধু ভালো হবে না, তাই কখনো হয়?

উনি সঙ্গে সঙ্গেই বলেন, লঙ, তুমি তোমার বন্ধুকে বাড়ি দেখাও। আমি ডাক্তারের কাছে যাচ্ছি। এই চাবি নাও ; যদি তোমার বন্ধু বাড়ি পছন্দ করেন, তাহলে ওকে চাবি দিয়ে দিও।

মাম্মি, আপনি ভাড়া ঠিক না করলে বন্ধুকে বাড়ির চাবি দিই কী করে?

তুমি খুব ভালো করেই জানো, এই বাড়ির কত ভাড়া হওয়া উচিত। তবে যেহেতু তোমাকে আমি ছেলের মতো স্নেহ করি আর তুমি আমাকে মাম্মি বলো, সেইজন্য তোমার বন্ধু অর্ধেক ভাড়া দিতে রাজি হলেই তুমি

ওকে বাড়ির চাবি দিয়ে দিও।

মাম্মি, কী বলছেন আপনি?

হ্যাঁ, বাবা, আমি ঠিকই বলছি। আমি বিধবা, বেশি টাকা দিয়ে কী করব?

না, উনি আর অপেক্ষা না করে ওদের কাছ থেকে বিদায় নেন ; তবে তার আগে বলেন, লঙ, তুমি আর তোমার বন্ধু রবিবার দুপুরে ডিনার খেতে এসো।

হ্যাঁ, মাম্মি, আসব।

ফস্টার সঙ্গে সঙ্গে বন্ধুকে জড়িয়ে ধরে বলেন, এই বৃদ্ধা তোমাকে কী অসম্ভব স্নেহ করেন আর বিশ্বাস করেন, তা দেখে আমি সত্যি অবাক হয়েছি। তুমি সত্যি ভাগ্যবান।

লঙ হাসতে হাসতে বলেন, মাই ডিয়ার ফ্রেন্ড, তুমি যদি মানুষকে শ্রদ্ধা করো, ভালোবাসো, তাহলে তুমিও শ্রদ্ধা পাবে, ভালোবাসা পাবে।

পলাশীর যুদ্ধে ক্লাইভের বাহিনীর জয়লাভের পর বঙ্গদেশে ইস্ট ইন্ডিয়া কোম্পানির আধিপত্য প্রতিষ্ঠিত হলেও তারপর ইংরেজ সৈন্যবাহিনীকে নিরন্তর যুদ্ধ করতে হয়েছে বহু দেশীয় রাজা-বাদশাদের সঙ্গে। সমগ্র ভারতবর্ষকে কুক্ষিগত করার জন্য ইংরেজকে যুদ্ধ করতে হয়েছে উত্তরে, দক্ষিণে, পশ্চিমে।

বঙ্গদেশে ইংরেজের আধিপত্য প্রতিষ্ঠিত হলেও নীলকর সাহেবদের অত্যাচারের বিরুদ্ধে যশোর-খুলনা-রংপুর-দিনাজপুরের চাষিরা বিদ্রোহ করেছে ; বিদ্রোহ করেছে খাসিরাও। ওদিকে পণ্ডিচেরীতে ফরাসি ও ত্রিঙ্কোমালিতে ওলন্দাজ আধিপত্য স্বীকার করতে বাধ্য হয়েছে ইংরেজ।

অন্য দিকে বহু দ্বন্দ্ব-সংঘাত, যুদ্ধবিগ্রহ, জয়-পরাজয়, হিংসা-প্রতিহিংসা, ক্ষমতার অপব্যবহার, অন্যায়ভাবে অর্থ রোজগার ইত্যাদি নানা অভিযোগ থাকায় ওয়ারেন হেস্টিংস গভর্নর জেনারেলের পদত্যাগ করে দেশে ফিরে যান। নতুন গভর্নর জেনারেল হয়ে এলেন লর্ড কর্নওয়ালিশ।

তবে ইংরেজের আধিপত্য যত বেশি এলাকায় ছড়িয়ে যাচ্ছে, সুপ্রিম কোর্টে তত বেশি মামলা হচ্ছে এবং সঙ্গে সঙ্গে আয় ও ব্যস্ততা বাড়ছে অ্যাটর্নিদের।

মিঃ লঙ সত্যি অসম্ভবকে সম্ভব করতে পারেন। একদল কর্মঠ লোকজনকে দিয়ে মাত্র তিন দিনের মধ্যেই বন্ধুবর ফস্টারের নতুন আস্তানা সুন্দর করে সাজিয়ে-গুছিয়ে দিলেন। ফস্টার স্তম্ভিত।

লঙ, বিশ্বাস করো, আমি স্বপ্নেও ভাবিনি, স্ট্রান্ডের মতো জায়গায় এইরকম একটা ছোটোখাটো প্রাসাদে আমি থাকতে পারব। ইউ হ্যাভ ডান এ মিরাকেল!

লঙ একটু হেসে বলেন, এই একটা সপ্তাহ তোমার উপর দিয়ে বেশ ধকল গেল। কাল-পরশু আরাম করার পর সোমবার থেকে নতুন উদ্যমে কাজকর্ম শুরু করো।

উনি না থেমেই বলেন, আর একটা কথা বলব?

বিন্দুমাত্র দ্বিধা না করে তুমি যেকোনো কথা বলতে পারো।

দেখো বন্ধু, দেশ ছেড়ে আমরা যারা এখানে ভাগ্যের সন্ধানে এসেছি, তারা কেউই বুড়ো না, আবার বিবাহিতও না। আমরা টাকা আয় করব আবার আনন্দও করব।

হ্যাঁ, ঠিক বলেছ।

আমাদের সবারই মাগি আছে কিন্তু বার বার বলছি, রাত্রে ছাড়া দিনে বা সন্ধের পর কাজের সময় যেন কখনোই কোনো মাগি কাছে আসতে না পারে। মাগিদের নিয়ে বেশি মাতামাতি করলে আমাদেরই সর্বনাশ।

লঙ, আমি তোমাকে কথা দিচ্ছি, রাত্রে ছাড়া আমি কখনোই মাগিদের কাছে আসতে দেব না।

সোমবার।

নতুন আস্তানার নতুন চেম্বারে বসে ফস্টার নানা মক্কেলের মামলা-মোকদ্দমার কাগজপত্র পড়ছিলেন বেশ মনযোগ দিয়ে।

হঠাৎ এক স্বাদেশবাসীর চিৎকার — ফস্টার, আর ইউ হিয়ার?

ফস্টার প্রায় লাফ দিয়ে চেম্বার থেকে বেরিয়ে এসেই অবাক।

মাই গুড ওল্ড ফ্রেন্ড কার্লটন! হোয়াট এ সারপ্রাইজ!

আগে বলো, তুমি এত বাড়ি পালটাচ্ছ কেন?

কার্লটন এক নিশ্বাসেই বলেন, তুমি কি জানো, আমি কাল সারাদিন ধরে তোমাকে খুঁজে বেড়িয়েছি?

আয়াম রিয়েলি সরি।

ফস্টারও সঙ্গে সঙ্গে বলেন, শুনেছিলাম, তুমি পাটনায় থাকো ; হঠাৎ কী ঘটল যে আমাকে...

ওর কথার মাঝখানেই কার্লটন বলেন, হ্যাঁ, হ্যাঁ, সব বলছি। পাটনা থেকে আমার সঙ্গে দুজন মহিলা এসেছেন ; তারা গাড়িতে বসে আছেন। তাদের নিয়ে আসছি।

প্লিজ তাদের নিয়ে এসো।

কার্লটন যে দুজন মহিলাকে নিয়ে চেম্বারে ঢুকল, তাদের মুখ দেখে মনে হল, ওদের বয়স বেশি না, বোধ হয় পঁচিশ-তিরিশের বেশি হবে না। পরনের সালোয়ার-কুর্তা-ওড়না আর ওদের সৌন্দর্য দেখে মনে হল, বনেদি পরিবারের মেয়ে-বউ।

ওরা তিনজনে আসন গ্রহণ করতেই ফস্টার গলা চড়িয়ে বলেন, খিদমতগার!

কী সাব?

গেস্টদের শরবত দিতে বলো।

হ্যাঁ, সরবত আসে। স্বয়ং ফস্টার সরবতের গেলাস তুলে দেন দুই মহিলা আর বন্ধু কার্লটনের হাতে।

তিনজনেই ওকে ধন্যবাদ জানান।

শরবত খাওয়া শেষ হতেই কার্লটন ওর ডান পাশের মহিলাকে দেখিয়ে বলেন, ইনি শবনম বেগম।

শবনম বেগম ওকে 'আদাব' করতেই ফস্টারও একটু হেসে বলেন, ধন্যবাদ।

কার্লটন বাঁ-পাশের মহিলাকে দেখিয়ে বলেন, ইনি চাঁদনি বেগম।

আদাব!

আদাব!

কার্লটন বলেন, এদের দুজনেরই স্বামী নিয়ামত আলি ছিলেন আমার

ব্যবসার অত্যন্ত গুরুত্বপূর্ণ সাপ্লায়ার।

আলি সাহেব কী সাপ্লাই করতেন?

তুমি তো নিশ্চয়ই জানো, ক্লাইভ যত সহজে বঙ্গদেশ জয় করছেন, তত সহজে কোম্পানির সেনাবাহিনী অন্যান্য অঞ্চল জয় করতে পারছে না ; পদে পদে যুদ্ধ করে কোম্পানিকে এক-একটা অঞ্চল দখল করতে হচ্ছে।

হ্যাঁ, এসব আমি জানি।

পাতিয়ালার দক্ষিণে ও পাটনা-গয়ায় উত্তর — এই বিরাট অঞ্চলে কোম্পানির যে সেনাবাহিনী আছে, তাদের খাবার-দাবার সাপ্লাই করার প্রধান দায়িত্ব আমার।

ও মাই গড! সে তো দারুণ ব্যাপার।

হ্যাঁ, দারুণ ব্যাপারই বটে কিন্তু এই দারুণ ব্যাপার সম্ভব হত বন্ধু নিয়ামতের সাহায্য ও সহযোগিতায়।

তারপর?

নিয়ামত ছিল খানদানি পরিবারের ছেলে...

নিয়ামত ছিল মানে? তিনি কি বেঁচে নেই?

না, তিনি বেঁচে নেই।

উনি কত দিন হল মারা গিয়েছেন?

মাত্র ছ-মাস আগে মারা গিয়েছেন।

মারা যাবার সময় তাঁর বয়স কত ছিল?

মাত্র তিরিশ।

বলো, আর কী বলবে।

পরমা সুন্দরী দুটি স্ত্রী থাকা সত্ত্বেও নিয়ামত ভালোবাসত তার রক্ষিতা লায়লাকে ও তার সঙ্গেই থাকত।

ফস্টার চুপ করে থাকলেও কার্লটন বলেন, সারাদিন ব্যবসার কাজে ব্যস্ত থাকলেও সন্ধের পর নিয়ামতে বাড়িতে বসত জমজমাট আসর।

কোন বাড়িতে? যে বাড়িতে তাঁর এই দুই স্ত্রী থাকতেন, সেই বাড়িতে?

নো, নো ; নিয়ামত মাসে দু-একদিন ওই বাড়ি যেতেন দুপুরের খানা খেতে।

উনি স্ত্রীদের সঙ্গে সহবাস করতেন না?

ওর স্ত্রীরা এই প্রশ্নের উত্তর দিলে ভালো হয়, তাই না?

হ্যাঁ, খুবই ভালো হয় কিন্তু ওরা কি আমাকে সেকথা জানাবেন?

শবনম বেগম আর চাঁদনি বেগম প্রায় একই সঙ্গে বলেন, হ্যাঁ, হ্যাঁ, আমরাই আপনার প্রশ্নের জবাব দিচ্ছি।

হ্যাঁ, বলুন।

শবনম বলেন, নিয়ামত মাসে-দু-মাসে আমাকে ওর অন্য কোঠিতে নিয়ে গিয়ে লায়লার অশ্লীল নাচ ও চরম অসভ্যতা দেখিয়ে বলতেন, ঠিক ওইভাবে নাচতে ও ওর সঙ্গে স্ফূর্তি করতে।

রিয়েলি?

ইয়েস মিঃ ফস্টার, নিয়ামত তা চাইলেও আমি কখনোই রাজি হতাম না।

তারপর?

তারপর দু'তিন মাস উনি আমার মুখ দেখতেন না।

তার মানে কি কখনোই আপনাদের দু-জনের শারীরিক মিলন হয়নি?

হ্যাঁ, হয়েছে ; পাঁচ বছরের বিবাহিত জীবনে নিশ্চয়ই পাঁচ-সাতবার আমাদের শারীরিক মিলন হয়েছে।

ব্যস! পাঁচ বছরে মাত্র পাঁচ-সাতবার?

হ্যাঁ, তার বেশি কখনোই না।

আপনার ভরা যৌবন ; এই বয়েসে শরীরের চাহিদা খুবই বেশি হয়। আপনি সেই চাহিদা কী করে মেটাতে পারছেন?

মিঃ ফস্টার, আমরা যেজন্য আপনার কাছে এসেছি, তার সঙ্গে আমার এই একান্ত গোপনীয় ব্যক্তিগত ব্যাপারের কোনো সম্পর্ক নেই।

আয়াম সরি।

চাঁদনি বেগম বললেন, কোম্পানির সেনাবাহিনীর দুজন অফিসার ক্যাপ্টেন হল আর ক্যাপ্টেন উড ছিল নিয়ামতের খাস দোস্ত। নিয়ামত আমাকে ওদের দুজনের সামনে উলঙ্গ হয়ে নাচতে বলতেন কিন্তু আমি কখনোই রাজি হতাম না।

তারজন্য নিয়ামত কি আপনাকেও শবনমের মতো একই শাস্তি দিতেন?

হ্যাঁ।

এবার মিঃ ফস্টার বন্ধুর দিকে তাকিয়ে বলেন, কার্লটন, তুমি আর নিয়ামত কী ব্যবসা করতে।

কোম্পানির সেনাবাহিনীর হাজার দশ-বারোর খাবার-দাবার সাপ্লাই করার কনট্রাক্ট পেতাম আমি।

গুড।

আমি নিয়ামতকে জানিয়ে দিতাম, কোথায় কী কী খাবার-দাবার কী পরিমাণ পাঠাতে হবে।

উনি সেইমতো মাল সাপ্লাই দিতেন?

কার্লটন একটু হেসে বলেন, সাপ্লাই দেওয়া মালপত্রর মান ও পরিমাণ দেখে নেবার দায়িত্ব ছিল ক্যাপ্টেন হল আর ক্যাপ্টেন উডের।

কার্লটন থামতেই ফস্টার বলেন, থামছ কেন? বলে যাও।

অফিসারদের জন্য নির্দিষ্ট মালপত্র ঠিকই সরবরাহ করা হত কিন্তু ভারতীয় সিপাহিদের জন্য সব মালপত্রই বেশ কম সরবরাহ করা হত আর তাদের মানও একটু নীচের দিকে হত।

ফস্টার বলেন, হল আর উড বোধ হয় লিখে দিতেন সব ঠিক সরবরাহ করা হয়েছে, তাই না?

হ্যাঁ, ঠিক তাই।

তার বিনিময়ে ওই দুজন অফিসার কী পেতেন?

যেসব মাল কম দেওয়া হত, তার দামের অর্ধেক টাকা ছাড়া নিয়মিত আকণ্ঠ মদ্যপান ও নেটিভ গার্লদের সঙ্গে রাত কাটাবার সুযোগ।

এবার বলো, কোন্ সমস্যার সমাধানের জন্য তুমি শবনম বেগম আর চাঁদনি বেগমকে নিয়ে পাটনা থেকে আমার কাছে এসেছ।

আমি কোম্পানির সেনা বিভাগকে লিখিতভাবে জানিয়েছি, আমার মোট প্রাপ্যের অর্ধেক অর্থ আমার সরবরাহকারী নিয়ামতকে দিতে।...

সেনা বিভাগ আগে তোমার নির্দেশ মতো নিয়ামতকে টাকা দিয়েছে?

হ্যাঁ, হ্যাঁ।

এখন কোনো সমস্যা হচ্ছে?

হ্যাঁ।

কী সমস্যা হচ্ছে?

নিয়ামত মারা যাবার পর ক্যাপ্টেন হল আর ক্যাপ্টেন উড দুবারে নিয়ামতের রক্ষিতা লায়লাকে প্রায় আড়াই লক্ষ সিক্কা টাকা দিয়েছে।

লায়লাকে দিল কেন?

দুই ক্যাপ্টেনই বলছে, ওদের ধারণা লায়লাই নিয়ামতের স্ত্রী।

তুমি কী তার প্রতিবাদ করেছ?

হ্যাঁ, করেছি কিন্তু ওরা দুজনেই বলছে, বেশি বাড়াবাড়ি করলে আমার চুক্তি বাতিল করে দেবে।

তুমি কী চাও?

আমি চাইছি, ওই দুই ক্যাপ্টেন যে টাকা লায়লাকে দিয়েছে, তা সমানভাবে ভাগ করে এই দুই বেগমকে দেওয়া হোক।

শবনম বেগম আর চাঁদনি বেগম কি ওই টাকা দাবি করেছেন?

শবনম বেগম বলেন, হ্যাঁ, আমরা দুজনেই দাবি করেছি কিন্তু ওই ক্যাপ্টেনরা তার কোনো জবাব দেননি।

আচ্ছা কার্লটন, ওই ক্যাপ্টেনরা লায়লাকে টাকাটা দিল কেন?

কার্লটন একটু হেসে বলে, নিয়ামত মারা যাবার পর দুই ক্যাপ্টেনই লায়লাকে নিয়ে চুটিয়ে স্ফূর্তি করছে।

ক্যাপ্টেনরা যে কোনো মেয়ের সঙ্গে স্ফূর্তি করুক কিন্তু সেনাবাহিনীর একটা কানাকড়িও তাকে দিতে পারে না।

শবনম বেগম বলেন, পারে না, তা আমরাও জানি কিন্তু বাস্তব ঘটনা হচ্ছে, টাকাটা ওরা লায়লাকেই দিয়েছে। মজার কথা প্রতিবাদ করেও প্রতিকার মেলেনি।

শুনুন বেগমসাহেবা, ক্যাপ্টেন হল আর ক্যাপ্টেন উড ষোলো আনা বেআইনিভাবে আপনাদের দুজনের প্রাপ্য লায়লাকে দিয়েছে। আপনারা সুপ্রিম কোর্টে মামলা করলে শুধু টাকাটাই পাবেন না, হয়তো ওই দুই ক্যাপ্টেনের চাকরিও চলে যাবে।

ওই দুই ক্যাপ্টেন চলে গেলে ওদের জায়গায় যারা আসবেন, তারা তো আরও খারাপ হতে পারেন?

খারাপও হতে পারেন, ভালোও হতে পারেন।

হ্যাঁ, তা হতে পারে।

শবনম বেগম মিঃ ফস্টারের চোখের পর চোখ রেখে একটু হেসে বলেন, হাজার হোক আপনি সুপ্রিম কোর্টের নাম করা অ্যাটর্নি ; আপনি দয়া করে আমাদের সঙ্গে পাটনায় গিয়ে দুই ক্যাপ্টেনকে ভয় দেখালেই...

ওর কথার মাঝখানেই চাঁদনি বেগম হঠাৎ ফস্টারের একটা হাত ধরে বলেন, মেহেরবানি করে আপনি আমাদের সঙ্গে চলুন ; আপনাকে দেখেই ক্যাপ্টেনরা ঘাবড়ে যাবে।

শবনম বেগম বলেন, আপনি আমাদের মেহেমান হয়ে থাকবেন ; আপনার কোনো কষ্ট হবে না। তাছাড়া আপনার প্রাপ্য দিতেও আমরা কার্পণ্য করব না।

কার্লটন বলেন, ফস্টার, আমি অনেক আশা করে ওদের দুজনকে নিয়ে এসেছি। প্লিজ, তুমি আমাদের সঙ্গে চলো।

মিঃ ফস্টার একটু হেসে বলেন, ঠিক আছে ; একবার চেষ্টা করে দেখি, দুটো ক্যাপ্টেনকে বাগে আনতে পারি কিনা।

শবনম বেগম একগাল হেসে বলেন, আমি আল্লার নামে কসম খেয়ে বলতে পারি, আপনার জয় হবেই।

মিঃ ফস্টার একটু হেসে বলেন, অ্যাটর্নি হিসেবে আমি চাই, আপনাদের ন্যায্য অধিকার স্বীকৃত হোক ও আপনারা আপনাদের ন্যায্য প্রাপ্য লাভ করুন।

চাঁদনি বেগম হাসতে হাসতে বলেন, আমাদের লাভ, আপনার জয় আবার আপনার লাভ, আমাদের জয়।

ওর কথা শুনে সবাই হেসে ওঠেন।

পাঁচ

গঙ্গার ঘাটে সুন্দর তিনটি বড়ো বড়ো বজরা দেখে ফস্টারের বেশ ভালো লাগল। দেশ থেকে আসার পর আর নৌকো চড়া হয়নি ; তাইতো সুন্দর বজরায় কটা দিন কাটানো যাবে ভেবে মন খুশিতে ভরে গেল।

চাঁদনি বেগম হাসতে হাসতে মিঃ ফস্টারকে বলেন, বলুন, কোন বজরায় চড়বেন?

আগে বলুন, কার কোন বজরা?

না, না, তা বলা হবে না।

উনি না থেমেই বলেন, তা বলে দিলে আর মজা কী?

ওর কথা শুনে কার্লটন আর শবনমের সে কী হাসি!

ফস্টার সাব, জলদি বাতাইয়ে।

এদিকে তাগিদ কিন্তু ফস্টার ভেবে পান না, কোন বজরায় চড়বেন।

কী আশ্চর্য! আপনি এত ভীতু?

চাঁদনি বেগম আবার টিপ্পনী কাটেন।

মিঃ ফস্টার সঙ্গে সঙ্গে গলা চড়িয়ে বলেন, আমি মাঝখানের বজরায় যাব।

সঙ্গে সঙ্গে হো-হো করে হেসে ওঠেন দুই বেগম আর মিঃ কার্লটন!

তিনটি বজরার সামান্য দূরে আরও একটা বজরা ছিল। তার প্রধান মাঝিকে ডেকে কার্লটন বলেন, সব মালপত্তর ঠিকমতো নিয়েছ তো?

হ্যাঁ, স্যার।

আমাদের আর তোমাদের সবাই ঠিকমতো খেতে পারব তো? নাকি পথে আবার কিছু কিনতে হবে?

ওই মাঝি একগাল হেসে বলেন, যথেষ্ট জিনিসপত্র নিয়েছি ;

খাবার-দাবারের ব্যাপারে আপনাকে চিন্তা করতে হবে না।

দ্যাটস গুড!

কার্লটন সঙ্গে সঙ্গেই বলেন, আমরা কোথায় ব্রেকফাস্ট করব?

স্যার, শ্রীরামপুরে।

ঠিক হ্যায়।

বজরায় ওঠার জন্য সবাই অপেক্ষা করছেন দেখে শবনম বেগম বলেন, মিঃ ফস্টার, প্লিজ আপনি বজরায় উঠুন ; আপনি না উঠলে আমরা উঠতে পারছি না।

হ্যাঁ, হ্যাঁ, উঠছি।

আর দেরি না করে মিঃ ফস্টার মাঝখানের বজরায় ওঠেন ; মিনিট দশেক পর সেই বজরাতেই উঠলেন চাঁদনি বেগম। ব্যস, সঙ্গে সঙ্গে মাঝিদের বইঠা জলে পড়তে শুরু হল ঝপ্ ঝপ্ আওয়াজ করে। একে জোয়ার, তার উপর মাঝিদের বইঠার টান — দুইয়ে মিলে প্রায় তির বেগে ছুটতে শুরু করল বজরা।

বজরার চারপাশে দৃষ্টি ঘুরিয়ে মিঃ ফস্টার বলেন, বজরায় এত সুন্দর বিধিব্যবস্থা আছে দেখে সত্যি অবাক হচ্ছি।

শুধু বজরার বিধিব্যবস্থাই ভালো লাগল? আপনার সহযাত্রীকে বুঝি ভালো লাগল না?

চাঁদনি বেগম হাসতে হাসতেই কথাটা বলেন।

চাঁদনির কি কোনো সার্টিফিকেট দরকার আছে?

মিঃ ফস্টার হাসতে হাসতে বলেন, চাঁদনি তো মুগ্ধ করে রেখেছে সারা পৃথিবীর মানুষকে।

আমি সারা পৃথিবীর মানুষের খবর জানতে আগ্রহী না ; আমি জানতে চাইছি, আপনার কথা, আপনার মনের কথা।

মেয়েরা বড্ড নিজেদের প্রশংসা শুনতে চায় কেন, বলতে পারেন?

শুধু মেয়েরা কেন, পুরুষরাও কি নিজেদের প্রশংসা শুনতে ভালোবাসে না?

চাঁদনি বেগম না থেমেই বলেন, এই যে আপনি! কী দারুণ হ্যান্ডসাম!

তার উপর সুপ্রিম কোর্টের বিখ্যাত অ্যাটর্নি! আপনাকে কত সুন্দরী যে ভালোবাসে, তার কি ঠিকঠিকানা আছে?

মিঃ ফস্টার হো-হো করে হেসে ওঠেন। তারপর হাসি থামলে বলেন, আমার এমনই অদৃষ্ট যে আজ পর্যন্ত একজন সুন্দরীও তো বলল না, আমাকে তার ভালো লেগেছে।

তাই নাকি?

হ্যাঁ, সত্যিই তাই।

দু-চার মিনিট চুপ করে থাকার পরই চাঁদনি বেগম বলেন, বজরার মধ্যে টাই-জ্যাকেট পরে আছেন কেন? একটু খোলামেলা হয়ে থাকলে আপনারই ভালো লাগবে।

হ্যাঁ, হ্যাঁ, খুলছি।

মিঃ ফস্টার কোট আর টাই খুলতেই চাঁদনি বেগম বলেন, আপনি এখন টাই আর কোট খুললেন ; অথচ আপনি বোধ হয় খেয়ালই করেননি, বজরায় উঠেই আমি আর ওড়না ব্যবহার করছি না।

হ্যাঁ, খুবই খেয়াল করেছি।

ফস্টার মনে মনে বলেন, খেয়াল না করে উপায় আছে? সত্যি চাঁদনি, বিধাতা তোমাকে অনেক দরদ আর ভালোবাসা দিয়ে বড়োই আকর্ষণীয় করেছেন পুরুষদের কাছে।

চাঁদনি খিলখিল হেসে উঠে বলেন, কী হল মিঃ ফস্টার, কী ভাবছেন বলুন তো।

হ্যাঁ, আপনার কথাই ভাবছি।

আমার কথা?

হ্যাঁ, হ্যাঁ, আপনার কথা।

আমার কী কথা ভাবছেন?

ভাবছি, আপনি কী দারুণ সুন্দরী।

শুধু সুন্দরী?

বলব?

হ্যাঁ, হ্যাঁ, বলুন।

আপনি কিছু মনে করবেন না?

আপনি যা খুশি বলতে পারেন, আমি সত্যি কিছু মনে করব না।

আপনার দেহলাবণ্য দেখে কোনো পুরুষ মুগ্ধ না হয়ে পারবে না।

এটা কি আপনার মনের কথা?

হ্যাঁ, আমার মনের কথা।

এবার আমি একটা কথা বলি?

হ্যাঁ, হ্যাঁ, বলুন।

আপনাকে প্রথম দেখেই আমার ভালো লেগেছে ; আর মনে মনে চাইছিলাম, আপনি যেন আমার বজরাতেই ওঠেন।

চাঁদনির ডান হাতে মৃদু চুম্বন করে মিঃ ফস্টার বলেন, আপনার কথা শুনে নিজেকে ভাগ্যবান মনে করছি।

ঠিক সেই সময় মাঝি গলা চড়িয়ে বলে, আর একটু পরেই আমরা শ্রীরামপুরের ঘাটে থামব।

চাঁদনি মাঝির ঘোষণা শুনেই বলে, ফস্টার, মেহেরবানি করে আমাকে একবার চুমু খাও।

হ্যাঁ, মিঃ ফস্টার দু-হাত দিয়ে ওর মুখখানা ধরে ওকে চুম্বন করে।

চারজন যাত্রীকে নিয়ে তিনটি বজরা পৌঁছবার আগেই চতুর্থ বজরাটি শুধু আগেই পৌঁছয়নি, চেয়ার-টেবিল পেতে ব্রেকফাস্টের ব্যবস্থাও করে রেখেছে।

কার্লটন তা দেখেই হাসতে হাসতে বলেন, শবনম বেগম, মতি মিঞার উদ্যোগ-আয়োজন দেখে আমার খিদে বেড়ে গেল।

সত্যি মতি মিঞার উদ্যোগ-আয়োজনে কোনো ত্রুটি পাওয়া যাবে না।

চাঁদনি বেগম হাসতে হাসতে বলেন, মতি মিঞা, আমি না খেয়ে তোমার প্রশংসা করছি না।

বৃদ্ধা মতি মিঞা ওদের কারুর কথারই জবাব দেয় না, শুধু হাসে।

মতি মিঞার সহকারীরা টেবিলের উপর খাবার-দাবার সাজিয়ে-গুছিয়ে দিতেই সবার মুখে হাসি ফুটে ওঠে। কথা বলেন শুধু মিঃ ফস্টার, ও মাই গড! এ তো এলাহি ব্যাপার। কার্লটন, মনে হচ্ছে, ডিনার-সাপার খেতে দেবে না।

মাই ডিয়ার ফ্রেন্ড, এই বিধিব্যবস্থার জন্য আমি দায়ী না, দায়ী শবনম বেগম।

এবার মিঃ ফস্টার দৃষ্টি ঘুরিয়ে বলেন, শবনম বেগম, এই ব্যাপক আয়োজন করার দরকার ছিল?

মিঃ ফস্টার, আপনি বহু ত্যাগ স্বীকার করে কলকাতা ছেড়ে পাটনা যাচ্ছেন আমার আর চাঁদনির পাওনা আদায় করতে। তাইতো আমার আর চাঁদনির দায়িত্ব, আপনাকে সর্বতোভাবে সেবা করার, খুশি করার, আনন্দে রাখার।

চাঁদনি সঙ্গে সঙ্গে বলেন, হ্যাঁ, মিঃ ফস্টার, শবনম ঠিকই বলেছে।

মিঃ কার্লটন বলেন, বন্ধুবর, এরা দুজনেই খানদানি পরিবারের মেয়ে। এরা অতিথিকে আপ্যায়ণ করার জন্য কী করতে পারে, তা আমরা কল্পনা করতে পারব না। এরা শত্রুর প্রতি যত কঠোর, নির্মম হতে পারে, অতিথি আর বন্ধুর প্রতি ঠিক ততটাই উদার হতে পারে।

হ্যাঁ, তাইতো মনে হচ্ছে।

যাইহোক বেশ গল্পগুজব হাসি-ঠাট্টার মধ্যে ব্রেকফাস্ট পর্ব শেষ হল।

শবনম বেগম বলেন, মিঃ ফস্টার, এবার কার বজরায় যাবেন?

এবার কার্লটনের সঙ্গে কয়েক ঘণ্টা কাটাই?

হ্যাঁ, হ্যাঁ, স্বচ্ছন্দে।

কার্লটন হাসতে হাসতে বলেন, এসো, বন্ধু, এসো।

কার্লটনের বজরায় উঁকি দিয়েই পিছিয়ে আসেন ফস্টার ; বলুন, পুরো বজরাতেই তো মালপত্রে ভর্তি। এর মধ্যে তুমি আছো কী করে?

কার্লটন হাসতে হাসতে বলেন, সেনাবাহিনীকে সাপ্লাই করার জন্য প্রতি মাসেই কলকাতা থেকে এইরকম মালপত্র বোঝাই করে পাটনায় নিয়ে যাই ; আমার অভ্যাস হয়ে গেছে।

শবনম বলেন, আমি জানতাম, ওই বজরায় আপনি যেতে পারবেন না। বজরায় অত মালপত্র বোঝাই করে শুধু মিঃ কার্লটনই যেতে পারেন, অন্য কেউ না।

হ্যাঁ, তাইতো দেখছি।

আপত্তি না থাকলে এবার আমার বজরায় আসুন ; তারপর আবার চাঁদনির বজরায় যাবেন।

হ্যাঁ, হ্যাঁ, আপনাদের দুজনের বজরাতেই যাব।

তাহলে আসুন আমার বজরায়।

বজরার ভিতরে ঢুকেই মিঃ ফস্টার বলেন, বেগমসাহেবা, আপনি কি এতক্ষণ শুয়েছিলেন?

কলকাতা থেকে রওনা হবার পর অনেকক্ষণ ছাদে বসেছিলাম ; তারপর একটু শুয়েছি।

আপনি এখনও শুতে পারেন।

হ্যাঁ, শুতে ইচ্ছে করছে কিন্তু আপনি বসে থাকবেন?

মিঃ ফস্টার একটু হেসে বলেন, আপনি শুয়ে থাকবেন আর আমি দু-চোখ ভরে আপনাকে দেখব।

শবনম সারা মুখে হাসি ছড়িয়ে বলেন, আপনি তো দারুণ রোম্যান্টিক!

আপনার মতো সুন্দরীকে একেবারে পাশে পেয়েও রোম্যান্টিক হব না?

শবনম হাসতে হাসতেই ওর পাশে শুয়ে পড়েন।

দুজনেই দুজনের দিকে তাকিয়ে আছেন ; দুজনেরই মুখে হাসি। কারুর মুখেই কোনো কথা নেই। বজরার দুলুনিতেই দুলছেন দুজনে ; হঠাৎ কখনো কখনো খুবই কাছে এনে দিচ্ছে দুজনকে। এইভাবেই বেশ কিছু সময় কেটে গেল।

কী হল ফস্টার, এত চুপচাপ কেন?

কখনো কখনো মনে মনে অনেক কথা বলা হলেও মুখে একটা শব্দও উচ্চারণ করতে ইচ্ছা করে না।

এখন কি মনে মনে অনেক কথা বলছেন?

হ্যাঁ, বলছি।

শুনতে পারি মনে মনে কী বলছেন?

সেসব কথা শুধু খুবই অন্তরঙ্গ মুহূর্তে বলা যায়, অন্য সময় না।

আপনি ভারি সুন্দর কথা বলেন ; তাছাড়া ঠিকই বলেছেন, কিছু কিছু কথা কিছু কিছু বিশেষ সময়েই বলা যায়।

হঠাৎ বজরা খুব জোরে দুলতে শুরু করতেই ফস্টার হুমড়ি খেয়ে পড়েন শবনমের উপর।

প্লিজ শুয়ে পড়ুন।

হ্যাঁ, ফস্টার শুয়ে পড়েন।

দুলুনির জোরে কখনো শবনম গড়িয়ে পড়ছেন ফস্টারের দিকে, আবার কখনো ফস্টার গড়িয়ে পড়ছেন শবনমের দিকে। বজরার দুলুনির জন্যই দুজনেই দুজনকে জড়িয়ে ধরে।

একেবারে মুখের সামনে মুখ, চোখের সামনে চোখ, ঠোঁটের সামনে ঠোঁট। একের নিশ্বাস অপরের মুখে পড়ছে।

তারপর?

তারপর আর কী? বাঁধ ভেঙে যায় দুজনেরই।

তারপর?

তারপর দীর্ঘ নীরবতা।

ফস্টার!

হ্যাঁ, বলো।

একটা সত্যি কথা বলবে?

নিশ্চয়ই বলব।

তোমাকে কি আমি আনন্দ দিতে পেয়েছি?

হ্যাঁ, শবনম, তুমি আমাকে অসম্ভব আনন্দ দিয়েছ।

শুনে সত্যি ভালো লাগছে।

এবার তুমি আমার কথার জবাব দাও।

বলো, কী জানতে চাও।

তোমাকে কি আমি খুশি করতে পেরেছি?

তুমি আমাকে আনন্দে খুশিতে ভরিয়ে দিয়েছ।

একদিকে কার্লটনের নির্দেশে মতি মিঞার ব্যবস্থাপনায় আহার আর পানীয়ের অপূর্ব বিধিব্যবস্থা আর অন্যদিকে শবনম ও চাঁদনিকে নিয়ে আনন্দ-যজ্ঞে ভেসে যাওয়া। স্বপ্নের মতো তিনটে দিন কেটে গেল।

পাটনা।

হ্যাঁ, শবনম-চাঁদনিদের কোঠিতেই মিঃ ফস্টারের থাকার ব্যবস্থা হল।

শোনো কার্লটন, কাল সকাল নটায় তুমি সব ফাইলপত্র নিয়ে আসবে।

কোন্ কোন ফাইল তুমি দেখতে চাও?

তোমার সঙ্গে সেনা বিভাগের চুক্তি, প্রাপ্য টাকার ব্যাপারে দুপক্ষের চিঠিপত্র আর তাছাড়া শবনম-চাঁদনিকে বঞ্চিত করে লায়লাকে টাকা দেওয়ার প্রমাণ ইত্যাদি ইত্যাদি সব দেখতে চাই।

নো প্রবলেম, হ্যাঁ, হ্যাঁ, আমরা তোমাকে সব চিঠিপত্র দেখাব।

তুমি শবনম-চাঁদনিকে সঙ্গে নিয়েই আমার সঙ্গে ন-টার সময় দেখা করবে।

হ্যাঁ, আমরা তিনজনেই দেখা করব।

তোমাদের কাগজপত্র পরীক্ষার পরই আমি দুই ক্যাপ্টেনকে নোটিশ পাঠাব।

সুপ্রিম কোর্টের অ্যাটর্নির মোহর লাগানো খামটি দেখেই ক্যাপ্টেন হল আর ক্যাপ্টেন উড চমকে ওঠেন।

একটা দীর্ঘশ্বাস ফেলে ক্যাপ্টেন হল গলা চড়িয়ে বলেন, হা ভগবান! কী আবার করলাম যে একেবারে সুপ্রিম কোর্টের অ্যাটর্নির নোটিশ এসে হাজির।

ক্যাপ্টেন উড বলেন, হল, বোধ হয় আমরা কোনো মারাত্মক ভুল করেছি, তা নয়তো...

ওসব আবোলতাবোল ভেবে লাভ নেই ; এখন দেখা যাক, কোন ব্যাপারে নোটিশ এসেছে।

হ্যাঁ, হ্যাঁ, তুমি পড়ো।

হ্যাঁ, ক্যাপ্টেন হল নোটিশটি পড়েন।...আগামী দুদিনের মধ্যে আপনারা শবনম বেগম ও চাঁদনি বেগমকে নায্য প্রাপ্য হইতে বঞ্চিত করিয়া যে প্রায় আড়াই লক্ষ সিক্কা টাকা অত্যন্ত অন্যায় করে লায়লাকে দিয়েছেন, তা ওদের ফিরিয়ে না দিলে আগামী সপ্তাহে সুপ্রিম কোর্টে মামলা করিতে বাধ্য হইব। মাননীয় সুপ্রিম কোর্ট যদি আপনাদের শাস্তি হিসেবে প্রায় পাঁচ লক্ষ সিক্কা টাকা দুই বেগমকে দিতে আদেশ দেন বা আপনাদের দুজনকে দুর্নীতির জন্য কোম্পানির সেনাবাহিনী থেকে বহিষ্কার করতে বলেন, তাহলে আমার মক্কেলদের কখনোই দোষারোপ করতে পারবেন না।

সর্বশেষে জানাই, আমার ও মিঃ কার্লটনের উপস্থিতিতেই আপনারা

দুই বেগমের সহিত সাক্ষাৎ করিতে পারিবেন।...

নোটিশ পড়েই ওদের মাথায় হাত।

ক্যাপ্টেন উড বলেন, হল, লায়লা ছুঁড়ি কি টাকাটা ফেরত দেবে?

আমার মনে হয়, ফেরত দেবে না।

কেন ফেরত দেবে না? ওই টাকা তো ওর পাবার...

ওর কথার মাঝখানেই ক্যাপ্টেন হল একটু হেসে বলেন, ও হয়তো বলবে, আমাকে নিয়ে যখন স্ফূর্তি করছ, তখন টাকা ফেরত দেবার কোনো প্রশ্নই নেই।

হ্যাঁ, তা বলতে পারে।

সে যাইহোক, তবু ওকে অনুরোধ করতেই হবে।

হ্যাঁ, তা তো করতেই হবে।

তাহলে আর দেরি করে লাভ নেই ; চলো, এখনই ওর কাছে যাই।

হ্যাঁ, চলো।

সাহেবদের দেখেই মহিলা বলে, আদাব।

ও সঙ্গে সঙ্গেই বলে, আপনারা এখন? এই অসময়ে?

ক্যাপ্টেন উড গম্ভীর হয়ে বলেন, খুবই জরুরি দরকার ; তুমি লায়লাকে বলো, আমরা এসেছি জরুরি কাজে।

বেগমসাহেবা তো এখন মালিশ করছেন।

তাহলেও এখনই আমাদের দেখা করতে হবে।

আপনারা এখানে ইন্তেজার করুন ; আমি বেগমকে বলছি।

আমরা অপেক্ষা করছি ; তুমি যাও।

একটু পরেই মহিলাটি ফিরে এসে বলে, আপনারা ভিতরে যান।

দুই ক্যাপ্টেন গট্‌গট্ করে ভিতরে ঢুকেই চমকে উঠে থমকে দাঁড়ান। লায়লা সম্পূর্ণ উলঙ্গ হয়ে শুয়ে আছে আর দুজন মহিলা ওর সারা শরীরে এক ধরনের তেল দিয়ে মালিশ করছে।

ক্যাপ্টেনদের দেখেই লায়লা একগাল হেসে বলে, এসো, এসো ; কাছে এসো।

কিন্তু...

মাই ডিয়ার উড, এইভাবে মালিশ না করলে এই শরীরটা দেখে আর খুশি মতো ব্যবহার করে আনন্দ পাবে কী করে?

ক্যাপ্টেন হল অত্যন্ত গম্ভীর হয়ে বলেন, তোমাকে অত্যন্ত জরুরি কথা বলতে এসেছি ; অন্য কারুর সামনে সেকথা বলা যাবে না।

আই সি।

লায়লা ইশারা করতেই দুই মহিলা মালিশ করা বন্ধ করে ভিতরে যায়।

হ্যাঁ, এবার ক্যাপ্টেন হল সুপ্রিম কোর্টের অ্যাটর্নির নোটিশটি ওকে পড়ে শোনান।

হা আল্লা! একেবারে সুপ্রিম কোর্টের অ্যাটর্নির নোটিশ!

হ্যাঁ, তাইতো তোমার কাছে ছুটে এলাম। এখন তুমি ইচ্ছা করলে আমাদের বাঁচাতেও পারো, মারতেও পারো।

ক্যাপ্টেন, তোমাদের দুজনকেই আমি ভালোবাসি, তোমরাও আমাকে খুবই ভালোবাস। তোমরা সাত সমুদ্দুর তেরো নদী পার হয়ে আমাদের দেশে এসেছ ; এখানে তোমাদের কোনো আত্মীয়-বন্ধু নেই। আমি তোমাদের সেই অভাব মেটাবার জন্যই এই শরীরটা দিতে দ্বিধা করি না।

ক্যাপ্টেন উড বলেন, হ্যাঁ, লায়লা, আমরা সেজন্য তোমার কাছে খুবই কৃতজ্ঞ।

হয়েছে, হয়েছে ; এখন দেখি, তোমাদের দেওয়া টাকা আমি খরচ করেছি কিনা।

লায়লা হাতে তালি দিতেই দুটি মহিলা এসে হাজির হয়।

আমাকে সালোয়ার কামিজ পরিয়ে দাও।

সালোয়ার কামিজ পরেই লায়লা ঘরে যায়।

মিনিট দশেক পরই লায়লা থলিটি নিয়ে ফিরে এসে হলের হাতে দিয়ে বলে, আল্লার মেহেরবানি, তোমাদের দেওয়া টাকায় আমার হাত দিতে হয়নি কিন্তু তোমরা দু-একদিন পরে এলেই আমাকে এই টাকায় হাত দিতে হত।

ও এক নিশ্বাসেই বলে, আমার হাতে আর কোনো টাকাকড়ি নেই ; যদি পারো...

ক্যাপ্টেন হল বলেন, আমি বা উড আসতে না পারলেও কোনো

সিপাহিকে দিয়ে কাল সকালে হাজার দশেক সিক্কা টাকা নিশ্চয়ই পাঠিয়ে দেব।

হ্যাঁ, তাহলে খুবই ভালো হয়।

দুই ক্যাপ্টেনই প্রায় একসঙ্গে বলেন, তুমি যে উপকার করলে, তা আমরা কখনোই ভুলব না। অন্য যে কোনো মেয়ে হলে আমাদের এই টাকা ফেরত দিত কিনা সন্দেহ। তুমি সত্যি ভালো মেয়ে।

আমার অত প্রশংসা করতে হবে না। এই ঝামেলা মিটলেই তোমরা এসো ; আমি তোমাদের দুজনকে দুপাশে নিয়ে একটা রাত কাটাতে চাই।

দুই ক্যাপ্টেনই হাসতে হাসতে বলেন, 'হ্যাঁ, আমরাও তাই চাই।

দুই ক্যাপ্টেন মিঃ ফস্টারকে স্যালুট করে বলেন, স্যার, ভিতরে আসতে পারি?

প্লিজ কাম ইন।

ওরা দুজনে ঘরের মধ্যে ঢুকেই কার্লটনকে বলেন, গুড মর্নিং!

ইয়েস গুড মর্নিং!

দুই বেগমসাহেবার দিকে তাকিয়ে ওরা বলেন, আদাব!

দুই বেগমসাহেবা একটু হেসে হাত তোলেন।

এবার ক্যাপ্টেন হল ফস্টারকে বলেন, স্যার, প্রথমেই আমরা দুজনে আপনার কাছে ক্ষমা চাইছি।

কিন্তু কেন?

আমাদের অন্যায়ের জন্য আপনাকে কলকাতা থেকে পাটনায় আসতে হয়েছে।

মিঃ ফস্টার একটু হেসে বলেন, কিছু মানুষ ভুলভ্রান্তি অন্যায় বা অপরাধ না করলে তো আমরা না খেয়ে মরব।

স্যার, আমরা স্বীকার করছি, আমরা অন্যায় করেছি, ভুল করেছি ; এখন সেই অন্যায়, সেই ভুল শুধরে নেবার জন্য বেগমসাহেবাদের প্রাপ্য পুরো টাকাটা এই থলিতে আছে।

আমাকে না, মিঃ কার্লটনকে থলিটি দিন।

ওরা কার্লটনকে থলিটি দিতেই অ্যাটর্নি বলেন, মিঃ কার্লটন, প্লিজ টাকাটা গুনে দেখুন, বেগমদের প্রাপ্য পুরো টাকাটা আছে কিনা।

টাকা গোনা শেষ হতেই মিঃ কার্লটন একগাল হেসে বলেন, ইয়েস মিঃ ফস্টার, দুই বেগমের প্রাপ্য পুরো টাকাই আছে।

গুড!

মিঃ ফস্টার সঙ্গে সঙ্গে ক্যাপ্টেনদের বলেন, প্লিজ কাগজপত্রে বেগমদের সই করিয়ে নিন যে ওরা টাকাটা পেয়েছেন।

হ্যাঁ, স্যার, এই রেজিস্টারে সই করিয়ে নিচ্ছি।

সইসাবুদের পর্ব মিটতেই মিঃ ফস্টার ক্যাপ্টেনদের দিকে তাকিয়ে বলেন, এরপর কার্লটন বা বেগমসাহেবাদের সাপ্লাই ব্যবসার কোনো ক্ষতি হবে না তো?

ও স্যার, নেভার। তা কখনোই হবে না ; বরং আমরা দুজনে চেষ্টা করব ওদের আরও বেশি সাপ্লাই করার অর্ডার দিতে।

দ্যাটস্ গুড কিন্তু ওদের ব্যবসার কোনো ক্ষতি হলেই আমি সঙ্গে সঙ্গে সুপ্রিম কোর্টে মামলা করব যে আপনাদের অন্যায় ধরিয়ে দেবার জন্য আপনারা প্রতিশোধ নিচ্ছেন।

দুই ক্যাপ্টেনই প্রায় একসঙ্গে চিৎকার ওঠেন, না, স্যার, তা কখনোই হবে না।

ওরা দু'জনে মিঃ ফস্টারকে স্যালুট করে ও অন্যদের ধন্যবাদ জানিয়ে বিদায় নেবার সময় মিঃ কার্লটনকে বলেন, আপনি একটু পরেই অফিসে আসুন। আপনাকে বেশ কিছুদিনের জন্য লখনউ আর কানপুরে থাকতে হবে।

কার্লটন হাসতে হাসতে বলেন, নতুন ভালো ব্যবসার সুযোগ থাকলে নিশ্চয়ই থাকব।

ইয়েস মিঃ কার্লটন, আপনাদের কোম্পানি সত্যি খুবই ভালো ব্যবসার সুযোগ পাবেন।

তবে আর কী! আপনারা যান, আমি একটু পরেই আসছি।

শবনম আর চাঁদনি কানে কানে কী যেন বলেন, তারপরই শবনম বেগম কার্লটনকে বলেন, আপনি পঞ্চাশ হাজার সিক্কা টাকা এখানে রাখুন।

কার্লটন জিজ্ঞাসু দৃষ্টিতে চাইতেই শবনম একটু হেসে বলেন, একটু ধৈর্য ধরুন।

যাইহোক, কার্লটন পঞ্চাশ হাজার সিক্কা টাকা আলাদা করে রাখতেই শবনম আর চাঁদনি দুজনে সেই টাকা মিঃ ফস্টারকে দিয়ে বলেন, এটা আপনার।

না, না, এত টাকা আমি নিতে পারি না।

শবনম বলেন, আপনি আমাদের যে উপকার করলেন, তার বিনিময়ে এই টাকা খুবই কম ; আপনি দয়া করে এই টাকা না নিলে আমরা দুজনেই খুব দুঃখ পাব।

চাঁদনি একগাল হেসে বলেন, মিঃ ফস্টার, আপনি কি আমাদের বন্ধু না?

তা আর অস্বীকার করি কীভাবে।

তাহলে বন্ধুকে বন্ধুর অনুরোধ তো রাখতেই হবে।

মিঃ কার্লটনও একটু হেসে বলেন, ফস্টার, এরা দুজনেই যখন অনুরোধ করছে, তখন তুমি আর না করো না ; টাকাটা নিয়েই যাও।

ঠিক আছে, টাকাটা তাহলে নিচ্ছি।

কার্লটন সঙ্গে সঙ্গে উঠে দাঁড়িয়ে বলেন, আমি ক্যাপ্টেনদের অফিসে যাচ্ছি ; দেখি, কী কাজের কথা বলে।

কার্লটন বেরিয়ে যেতেই শবনম আর চাঁদনি ফস্টারের গলা জড়িয়ে ধরে বার বার চুমু খেতে খেতে ভিতরের ঘরে নিয়ে যান।

কার্লটন যখন ফিরলেন, তখন তিনটে বেজে গেছে। ওদের তিনজনকে বিছানায় জড়াজড়ি করে মেঝেয় পাতা কার্পেটের উপর শুয়ে থাকতে দেখে কার্লটন হাসতে হাসতে বলেন, ফস্টার, সত্যি করে বলো তো আমি যে দুজন মক্কেলকে তোমার কাছে নিয়ে গিয়েছিলাম, তাদের চাইতে ভালো মক্কেল কখনো পেয়েছ?

ফস্টার দুটি উলঙ্গ যুবতীকে দু-হাত দিয়ে বুকের কাছে টেনে নিয়ে বলেন, মাই ডিয়ার ফ্রেন্ড, তুমি কি বুঝতে পারছ না, আমি কী স্বর্গসুখ উপভোগ করছি।

তুমি যে বলেছিলে আজই কলকাতা রওনা হবে?

এই দুই সুন্দরীকে দুঃখ দিয়ে কি কোথাও যেতে পারি?

তুমি এমন পাষাণ না যে এদের দুঃখ দেবে।

কার্লটন মুহূর্তের জন্য থেমে বলেন, আমি লখনউ যাবার জন্য আজই এলাহাবাদ রওনা হচ্ছি। জানি না, ওখানে কতদিন থাকতে হবে।

না, না, তাড়াহুড়ো করে ফিরে আসতে হবে না। তুমি ফিরে না আসা পর্যন্ত আমি এখানেই আছি।

বাই!

বাই!

বহুদিন পর প্রিয় বন্ধুকে কাছে পেয়ে মিঃ লঙ দু-হাত দিয়ে বুকের মধ্যে জড়িয়ে ধরে বলেন, সত্যি বলছি ফস্টার, তোমাকে কাছে পাবার জন্য আমি ছটফট করছিলাম।

আমিও তোমাকে কাছে পাবার জন্য খুবই ব্যস্ত হয়ে পড়েছিলাম।

তা তো খুবই স্বাভাবিক।

ফস্টারকে পাশে বসিয়ে তার হাতে ক্লারেট ভর্তি গেলাস তুলে মিঃ লঙ হাসতে হাসতে বলেন, চিয়ার্স! ফর আওয়ার হ্যাপি রি-ইউনিয়ান।

ইয়েস, ইয়েস।

দুজনেই গেলাসে চুমুক দেন।

তারপর লঙ বলেন, পাটনায় কেমন ছিলে?

এই থলিটা দেখো।

ও মাই গড! এ তো প্রচুর টাকা।

হ্যাঁ, একটা বড়ো আর দুটো ছোটোখাটো মামলায় পরামর্শ দিয়ে মোট সত্তর হাজার সিক্কা টাকা নিয়ে ফিরেছি।

দ্যাটস্ ভেরি গুড!

লঙ সঙ্গে সঙ্গে বলেন, তার মানে মাজে মাঝে পাটনাতে গেলেও তোমার ভালো আয় হতে পারে?

প্রতিবার কি একই আয় হতে পারে? তবে পাটনার সঙ্গে যোগাযোগ রাখলে বোধ হয় আখেরে ভালোই হবে।

নিশ্চয়ই পাটনার সঙ্গে যোগাযোগ রাখবে।

গেলাস খালি হয়, লণ্ড আবার ভরে দেন।

পাটনায় থাকা-খাওয়ার ব্যবস্থা ভালো ছিল?

হ্যাঁ, খুবই ভালো ছিল।

লণ্ড প্রায় আপন মনেই বলেন, বন্ধু যখন নিয়ে যান, তখন তিনি তো ভালো ব্যবস্থাই করবেন।

উনি না থেমেই বলেন, বাই দ্য ওয়ে তোমার বন্ধু কি ব্যবসা করেন?

কোম্পানির সেনাবাহিনীতে নানারকম জিনিস সাপ্লাই করতে হয়।

ও তো দারুণ লাভের ব্যবসা।

ফস্টার একটু হেসে বলেন, লাভ নিশ্চয়ই হয় কিন্তু কীরকম লাভ হয়, তা বলতে পারব না।

লণ্ড আবার খালি গেলাস ভরে দেন।

দুজনেই গেলাসে চুমুক দেন।

লণ্ড বন্ধুর কানের কাছে মুখ নিয়ে চাপা গলায় বললেন, আনন্দ করার জন্য ভালো পার্টনার পেয়েছিলে?

ফস্টার হো-হো হেসে উঠে বলেন, জীবনে প্রথম সত্যিকার মনের মতো পার্টনার পেলাম পাটনায়।

তাই নাকি?

হ্যাঁ, লণ্ড, সত্যি তাই।

ফস্টার না থেমেই বলেন, লণ্ড বিশ্বাস করো, আমি যে দুজন বান্ধবী পেয়েছিলাম, যেমন তাদের রূপ-যৌবন, সেইরকমই তাদের শিক্ষাদীক্ষা-রুচিবোধ।

বলো কী?

হ্যাঁ, বন্ধু, সত্যি কথাই বলছি।

এই ধরনের মেয়েদের তো এই পেশায় পাওয়াই যায় না।

না, না, আমার বান্ধবীরা এই পেশার না।

তবে...

ওরা খানদানি পরিবারের মেয়ে ও বিবি ; অল্পবয়সে স্বামী হারানো দুই পরমা সুন্দরী বেগমসাহেবা।

লণ্ড হাসতে হাসতে বলেন, তুমি সত্যি ভাগ্যবান কিন্তু তোমার অদৃষ্টকে

হিংসা না করে পারছি না।

লঙ, হাসি-ঠাট্টার কথা বাদ দাও ; এবার একটা সিরিয়াস কথা বলছি।

হ্যাঁ, বলো।

তুমি তো বেশ ক-বছর দেশ ছেড়ে এখানে আছ ; তুমি কি কখনো দেশে ফিরে যাবার কথা ভাবো?

দেখো বন্ধু, এখানে এই বয়সে যে বিদ্যাবুদ্ধি নিয়ে যা আয় করছি। তা ইংল্যান্ডে কখনোই সম্ভব না।

হ্যাঁ, ঠিকই বলেছ।

লঙ বলেন, তুমিও তো কটা বছর এখানে কাটিয়ে দিলে ; দেখছ, এই দেশে দিন দিনই আমাদের জাতির প্রভাব বাড়ছে, দিন দিনই নানা রকমের ব্যবসাবাণিজ্যেরও সুযোগ বাড়ছে।

মিঃ ফস্টার সম্মতিতে মাথা নাড়েন।

অর্থাৎ এখানে আমাদের আরও বেশি আয় করার সুযোগ প্রতিদিনই আসছে।

শুধু আয় করার কথা কেন বলছ? এখানে দুটো মাগি ছাড়াও যে গোটা ষাটেক কর্মচারী তুমি বা আমি রাখছি। তা ইংল্যান্ডে কল্পনাতীত।

হ্যাঁ, ঠিক বলেছ।

একটু চুপ করে থাকার পর মিঃ ফস্টার বলেন, সত্যি কথা বলতে কী, আমার দেশে ফিরে যাবার বিশেষ ইচ্ছা নেই।

লঙ বলেন, দেশে তো তোমার মা আছেন।

হ্যাঁ, মা তো আছেন।

ফস্টার না থেমেই বলেন, মায়ের খুব ইচ্ছা, আমাদের 'স্মারে' এলাকায় আমি একটা ভালো বাড়ি করি ; যে বাড়িটি ভবিষ্যত বংশধররা ফ্যামিলি হেড কোয়ার্টার হিসেবে ব্যবহার করবে।

সে তো খুবই ভালো আইডিয়া।

হ্যাঁ, মায়ের এই ইচ্ছা আমাকে পূর্ণ করতে হবে।

ভাগ্যক্রমে সেদিন রবিবার। কোর্ট-কাছারি-অফিস সব বন্ধ। দুজনের কারুরই বাইরে যাবার তাগিদ নেই। তাইতো দুজনে প্রাণ খুলে গল্প করেন।

দুপুরে লাঞ্চ খাবার সময় নানারকম কথাবার্তার মাঝে মিঃ লণ্ড বলেন, আচ্ছা ফস্টার, তুমি এখনাও দৈনন্দিন ডায়েরি লেখো?

ফস্টার একটু হেসে বলেন, হ্যাঁ, ওই অভ্যাসটা এখনও আছে।

প্রতিদিনের সব ঘটনা লেখো?

হ্যাঁ, লিখি।

লণ্ড একটু হেসে বলেন, তোমার বাবা তো আমাদের স্কুলে ইতিহাসের টিচার ছিলেন। তিনি আমাদের সবাইকেই দৈনন্দিন ডায়েরি লেখা কথা বলতেন কিন্তু...

ফস্টার হাসতে হাসতে বলেন, শিক্ষক আর অভিভাবকদের সব উপদেশ কি মানা সম্ভব?

তা আমরা না মানতে পারি কিন্তু ডেলি ডায়েরি লেখা যে খুবই ভালো, সে বিষয়ে কোনো সন্দেহ নেই।

লণ্ড না থেমেই বলেন, পৃথিবীর প্রায় সব মহাপুরুষরাই তো ডায়েরি লিখতেন, তাই না?

ফস্টার একগাল হেসে বলেন, হ্যাঁ।

ছয়

হঠাৎ কালাজ্বরে আক্রান্ত হয়ে তিন সপ্তাহের মধ্যেই প্রিয় বন্ধু লঙ মারা যাবেন, তা ফস্টার স্বপ্নেও ভাবেননি। ডাঃ রবিনসনের মতো বিখ্যাত ডাক্তারের চিকিৎসাতেও লঙ সুস্থ হবেন না, তা কেউই আশা করেননি।

কী আশ্চর্য! লঙ মারা যাবার ঠিক এক সপ্তাহ পরেই ফস্টার ম্যালেরিয়ায় আক্রান্ত হলেন। ভাগ্যক্রমে কার্লটন তখন কলকাতাতেই ছিলেন। তিনি বন্ধুর চিকিৎসার দায়িত্ব দিলেন ডাঃ রবিনসন আর ডাঃ জোন্সকে।

সৌভাগ্যক্রমে দু-সপ্তাহের মধ্যেই ফস্টার রোগ মুক্ত হলেন কিন্তু অসম্ভব দুর্বল। ডাক্তাররা বললেন, বায়ু পরিবর্তনের জন্য মিঃ ফস্টারকে অন্তত মাসখানেক পশ্চিমে নিয়ে যাওয়া দরকার।

কার্লটন বন্ধুকে বলেন, শুনলে তো দুজন ডাক্তারই বললেন, তোমাকে সুস্থ হতে হলে বেশ কিছুদিন পশ্চিমে থাকা দরকার আর সেইসঙ্গে প্রয়োজন সেবা-যত্ন ও ভালো পথ্য।

কার্লটন, আমি এখানেই বিশ্রাম নিলে ঠিকই সুস্থ হয়ে যাব ; আমাকে পশ্চিমে যেতে হবে না।

লঙ থাকলে তোমার কর্মচারীদের আর দুই মাগিকে নির্দেশ দিয়ে তোমাকে সুস্থ করে তুলতে পারত।

ফস্টার চুপ করে বন্ধুর কথা শোনেন।

লঙ নেই, আমিও পাটনা আর লখনউতে থাকছি ; এই অবস্থায় আমি তোমাকে একদল অসৎ স্বার্থপর কর্মচারী আর দুই মাগির ভরসায় রেখে যেতে পারি না। তোমাকে আমি পাটনা নিয়ে যাব।

ফস্টার একটু হেসে বলেন, দুই বেগম আমাকে দেখবে?

হ্যাঁ, হ্যাঁ, ওরাই তোমাকে দেখবে।

কার্লটন সঙ্গে সঙ্গে বলেন, ব্যবসার পার্টনার ও বন্ধুর স্ত্রী বলে আমি দুই বেগমকেই সম্মান করি ও ভালোবাসি ; ওরাও আমাকে যথেষ্ট সম্মান করেন ও ভালোবাসেন।

হ্যাঁ, তা আমি নিজের চোখে দেখেছি।

ফস্টার, তুমি নিশ্চয়ই স্বীকার করবে, তোমার দুই মাগি টাকার বিনিময়ে শরীর দেয় কিন্তু ওই দুই বেগম তোমাকে ভালোবেসেই নিজেদের উজাড় করে দিয়েছে।

হ্যাঁ, তা আমি একশোবার স্বীকার করব।

তাছাড়া আরও একটা কথা বলব।

হ্যাঁ, বলো।

ওরা লোভী হলে কখনোই ওই বিপুল পরিমাণ টাকা তোমাকে দিত না, তাই না?

হ্যাঁ, তুমি ঠিকই বলেছ।

তুমি আমার সঙ্গে পাটনা যাবে কি?

লঙ নেই ; এখানে তুমিই আমার একমাত্র বন্ধু। তোমার কথা কী করে অগ্রাহ্য করি।

দ্যাটস্ লাইক এ গুড বয়।

কার্লটনের কাঁধে ভর দিয়ে ফস্টারকে আসতে দেখেই দুই বেগম ছুটে আসে।

শবনম আর চাঁদনি মিঃ ফস্টারের দুটো হাত ধরে বলে, এ কী চেহারা হয়েছে? দেখে তো চেনাই যায় না।

ফস্টার না, কার্লটনই ওদের কথার জবাব দেন ; বলেন, খুবই খারাপ ধরনের ম্যালেরিয়া হয়েছিল। কলকাতার সবচাইতে বিখ্যাত দুজন ডাক্তারের চিকিৎসায় বেঁচে গেছে।

আপনি আমাদের একটু খবর দিতে পারলেন না?

না, সত্যি, সে সুযোগ হয়নি।

কার্লটন সঙ্গে সঙ্গে বলেন, যাইহোক ডাক্তারের নির্দেশ মতোই

ফস্টারকে এখানে নিয়ে এসেছি...

শবনম বলেন, খুব ভালো করেছেন।

এখন সেবাযত্ন করে ওকে তাড়াতাড়ি সুস্থ করে তোলার দায়িত্ব তোমাদের।

দেখুন না, আমি আর চাঁদনি কত তাড়াতাড়ি ওকে সুস্থ করে তুলি!

চাঁদনি হাসতে হাসতে বলে, কার্লটন সাহেব, আমরা জাদু করে আপনার বন্ধুকে সুস্থ করে তুলব।

ওর কথায় শুধু কার্লটন না, ফস্টারও হেসে ওঠেন।

সত্যি শবনম আর চাঁদনির অভাবনীয় সেবাযত্নে দিন পনেরোর মধ্যেই ফস্টারের শরীরের উন্নতি দেখে শুধু কার্লটন না, ফস্টার নিজেও অবাক।

মিঃ ফস্টার শবনম আর চাঁদনির দুটো হাত ধরে বলেন, আমি স্বপ্নেও ভাবিনি, তোমরা এমন করে আমার সেবাযত্ন করবে। আমি সারা জীবনেও তোমাদের ঋণ শোধ করতে পারব না।

চাঁদনি হাসতে হাসতে বলে, ঋণ শোধ করার দরকার কী?

ও মুহূর্তের জন্য থেমেই বলে, বুঝলে সাহেব, আমাদের সমাজে মেয়েদের উপেক্ষা করা, অত্যাচার করাই পুরুষরা গৌরবের কাজ বলে মনে করে। তুমি বিশ্বাস করো, তোমার কাছেই প্রথম আমরা দুজনে ভালোবাসার স্বাদ পেলাম। তাইতো তোমাকে সেবাযত্ন করে আমরাও আনন্দ পেয়েছি।

আমাকে সেবাযত্ন করার জন্য তোমরা দুজনে অমানুষিক পরিশ্রম করার পরও বলছ, তোমরা আনন্দ পেয়েছ?

ওর কথা শেষ হতে-না-হতেই শবনম বলে, ফস্টার, তুমি বিশ্বাস করো, তোমার সেবাযত্ন করে সত্যি আমরা আনন্দ পেয়েছি।

কিন্তু কেন আনন্দ পেয়েছ?

কারণ আমরা নিজেদের মনের তাগিদেই তোমার সেবাযত্ন করেছি। আমরা প্রতি মুহূর্তে অনুভব করি, তুমি কখনোই আমাদের শরীর নিয়ে ছিনিমিনি করোনি ; অত্যন্ত আবেগের সঙ্গে দরদ দিয়ে ভালোবেসে আমাদের আনন্দ দিয়েছ ও তুমি আনন্দ পেয়েছ।

আমরা ইংরেজরা তো মেয়েদের কখনোই তুচ্ছ জ্ঞান করি না, বরং সম্মান করি।

হ্যাঁ, তোমার বন্ধু কার্লটনকে দেখেই আমরা তা বুঝেছি। উনি আমাদের স্বামীকে বন্ধু মনে করতেন, আমাদেরও বন্ধু-পত্নী বলে বরাবরই সম্মান করে এসেছেন।

চাঁদনি বলে, তাইতো আমরাও ওকে বন্ধু মনে করি, সম্মান করি।

হঠাৎ শবনম আলতো করে ওকে চুমু খেয়েই হাসতে হাসতে বলে, ফস্টার, আজ রাত্রে তুমি চাঁদনির কাছে শোবে।

তুমি?

তিন দিন পরে আমি তোমার কাছে শোব।

হঠাৎ এইরকম সিদ্ধান্তের কারণ?

কারণ তুমি এখনও আগের মতো স্বাভাবিক হওনি।

শবনম হাসতে হাসতে ওর কানের কাছে মুখ নিয়ে বলে, এখন হিসেব-নিকেশ করে আনন্দ না করলে আবার তোমার শরীর ভেঙে পড়বে।

ফস্টারও একটু হেসে বলেন, অত হিসেব করে ভালোবাসা যায়?

সময় বিশেষে হিসেব করেই ভালোবাসতে হয়।

দেখতে দেখতে আরও দুটো সপ্তাহ পার হল।

তারপর?

সুপ্রিম কোর্টের নোটিশ নিয়ে ওর একজন বেয়ারা এসে হাজির।

সুপ্রিম কোর্টের নোটিশ?

ইয়েস স্যার।

নোটিশ পড়েই ফস্টার সুপ্রিম কোর্টের অফিসকে লিখিতভাবে জানান, ম্যালেরিয়ায় অত্যন্ত অসুস্থ হয়েছিলাম। তারপর ডাঃ রবিনসন ও ডাঃ জোন্সের পরামর্শ মতো পাটনায় এসেছি। আমি এখন অনেক ভালো আছি। আশা করি সামনের সপ্তাহেই কলকাতা রওনা হতে পারব।

দুদিন পরই কার্লটন পাটনা ফিরে ফস্টারের কাছে সুপ্রিম কোর্টের নোটিশ ও ওর কলকাতা ফেরার প্রয়োজনের কথা শুনলেন। তারপর বেগমদের সঙ্গে দেখা করে ব্যবসার খবরাখবর জানিয়ে ওদের প্রাপ্য টাকা

মিটিয়ে দিলেন।

শবনম বলে, আপনি শুনেছেন কি, আপনার বন্ধুকে কয়েক দিনের মধ্যেই কলকাতা রওনা হতে হবে?

হ্যাঁ, সবই শুনলাম।

আপনি বিশ্বাস করুন, আপনার বন্ধুকে ছাড়তে আমাদের একদম ইচ্ছা করছে না। স্বামীর কাছে তো কোনোদিন ভালোবাসা পাইনি ; আমি আর চাঁদনি জীবনে প্রথম ভালোবাসার স্বাদ পেলাম ফস্টারের কাছে।

কার্লটন একটু হেসে বলেন, আপনারা দুজনে যেভাবে ওর সেবাযত্ন করছিলেন, তা দেখেই আমি বুঝতে পারি, আপনারা ডুবেছেন। যাকে খুব ভালোবাসা না যায়, তাকে ওইভাবে সেবাযত্ন করা যায় না।

উনি মুহূর্তের জন্য থেমে বলেন, সুপ্রিম কোর্টের নোটিশ যখন এসেছে, তখন ওকে যেতেই হবে ; তবে আমি বন্ধুকে বলব, কোর্ট যখনই বন্ধ থাকবে, তখনই ও যেন পাটনায় আসে।

হ্যাঁ, দয়া করে সেই কথাই বলবেন।

•

মিঃ ফস্টার স্বপ্নেও ভাবেননি, তার জন্য এত মক্কেল চাতক পাখির মতো হাঁ করে বসে আছেন। মক্কেলদের দেখে ওর উৎসাহও বেড়ে যায়।

সকাল সাতটা বাজতে-না-বাজতেই চেম্বারে হাজির ; সেদিনের মামলার মক্কেলদের সঙ্গে শেষ পর্যায়ের আলাপ-আলোচনা চলে সাড়ে নটা পর্যন্ত। তারপর এগারোটা বাজতে-না-বাজতেই সুপ্রিম কোর্ট। কোনোদিন চারটে-পাঁচটার কম মামলা থাকে না। চারটের আগে কোর্ট থেকে বেরুতে পারেন না।

বাড়ির সামনে কোচোয়ান গাড়ি থামাতেই মিঃ ফস্টার সটান লিভিং রুমে গিয়ে ডিভানে লুটিয়ে পড়েন। বেয়ারা আর চাপরাশিরা কোর্টের কাগজপত্র চেম্বারে রেখে দেয়।

ফস্টারকে লিভিং রুমে ঢুকতে দেখেই দুটি মাগি ছুটে এসে ওর জুতো-মোজা, কোর্টের পোশাক খুলে সারা শরীর মালিশ করে দেয় বিশ-পঁচিশ মিনিট ধরে। তারপর ফস্টার বাথরুমে যায়। পরিষ্কার-পরিচ্ছন্ন হয়ে বেরুবার পর মাগিরা ওকে পরিষ্কার পোশাক পরিয়ে দেয়। তারপর

খানসামা কিছু খেতে দেবে ; খেয়েদেয়েই ফস্টার বিছানায় গিয়ে শুয়ে পড়তেই ঘুমিয়ে পড়েন ঠিক এক ঘণ্টার জন্য।

তারপর?

তারপর চেম্বার।

মক্কেলদের বিদায় দিয়ে ক্লারেটের প্রথম গেলাস হাতে তুলে নিতে প্রায় দশটা বাজে। সঙ্গে সঙ্গে সাপার খাওয়া। তারপর বিছানায় লুটিয়ে পড়তেই শুরু হয় দুই মাগির সঙ্গে লীলাখেলা। সে লীলাখেলাও আধ ঘণ্টা-চল্লিশ মিনিটেই শেষ করে ফস্টার ঘুমিয়ে পড়েন।

ফস্টার এখন অনুভব করেন, অনেকগুলো বছর নিছক স্ফূর্তি করেই নষ্ট করেছেন। কিন্তু আর না। সারে-তে মনের মতো বাড়ি তৈরি করতে যথেষ্ট টাকার দরকার। তাছাড়া টাকার দরকার অবসরের পর জীবন কাটাবার জন্য। প্রচুর টাকা চাই।

এখন ওর কাম্য শুধু টাকা। তাইতো প্রাণ-মন ঢেলে দিয়েছেন, অ্যাটর্নি হিসেবে ভালোভাবে মামলা লড়ে মক্কেলদের আশা পূর্ণ করা আর পকেট ভর্তি টাকা আয় করা।

পাটনা থেকে ফিরে আসার পর প্রায় বছর খানেক এইভাবেই কেটে যায়।

তারপর?

তখন কদিনের জন্য সুপ্রিম কোর্ট বন্ধ। একটু বেলা করে ঘুম থেকে উঠে ব্রেকফাস্ট করার পর এক বন্ধুর বাড়ি যাবেন বলে কোচোয়ানকে গাড়ি বের করতে বলার পর পরই হঠাৎ কার্লটন এসে হাজির।

ফস্টার একগাল হেসে বলেন, কবে এসেছ?

এই তো আজ ভোরে।

ভোরে এসেই বন্ধুর কাছে হাজির?

কার্লটন বলেন, তোমাকে দেখে মনে হচ্ছে, কোথাও বেরুবার জন্য...

হ্যাঁ, ঠিকই ধরেছ ; ভাবছিলাম, বন্ধুস্থানীয় সুপ্রিম কোর্টের একজন বিশেষ আফিসারের কাছে যাব।

ওই ভদ্রলোকের কাছে পরে যেও ; এখন তুমি আমার বাড়ি চলো।

তোমার বাড়ি?

হ্যাঁ, আমার বাড়ি।

হঠাৎ তোমার বাড়ি যাব কেন?

দরকার আছে।

সে দরকারের কথা এখানেই বলো।

মাই ডিয়ার ফ্রেন্ড, প্লিজ আমার বাড়ি চলো ; সত্যি খুবই জরুরি দরকার।

মিঃ ফস্টার একটা চাপা দীর্ঘশ্বাস ফেলে বলেন, চলো, যাই।

কার্লটনের পিছন পিছন লিভিং রুমে ঢুকে চাঁদনিকে দেখে ফস্টার অবাক ; বলেন, চাঁদনি তুমি হঠাৎ কলকাতায় এলে?

উনি সঙ্গে সঙ্গে বলেন, তাছাড়া তোমাকে এরকম দেখাচ্ছে কেন?

কীরকম দেখাচ্ছে?

তোমার চোখে-মুখে হাসি নেই, মনে হচ্ছে, তুমি খুবই চিন্তিত, আকাশ-পাতাল কী যেন চিন্তা করছ। সত্যি বলছি, তোমাকে এইরকম দেখব, তা ভাবতে পারিনি।

চাঁদনি খুব জোরে একবার দীর্ঘশ্বাস ফেলে বলে, হ্যাঁ, ফস্টার, সত্যি আমি চিন্তিত। বেশ বিপদে পড়েই তোমার কাছে এসেছি অনেক আশা নিয়ে, কিন্তু জানি না, তুমি আমাকে সাহায্য করবে কিনা।

কী বলছ চাঁদনি? তুমি বিপদে পড়েছ আর আমি তোমাকে সাহায্য করব না, তাই কখনো হয়?

কার্লটন বলেন, হ্যাঁ, ফস্টার, সত্যি চাঁদনি খুবই সমস্যায় পড়েছে ; শি ইজ বিটুইন ডেভিল অ্যান্ড ডিপ সি...নেটিভরা যে অবস্থাকে বলে — এগুলে বাঘ, পিছনে সাপ।

কিন্তু সমস্যাটা কী?

এবার কার্লটন চাঁদনিকে বলেন, তুমি ফস্টারকে সবকিছু খুলে বলো ; কোনো দ্বিধা না করেই সব কথা বলবে। ইতিমধ্যে আমি একটু ঘুরে আসছি।

কার্লটন চলে যায়।

শুরু করে চাঁদনি, তুমি বোধ হয় জানো না আমি আর শবনম দুই বোন।...

তাই নাকি?

হ্যাঁ।

তোমরা আপন বোন?

না ; আমরা দুজনে দুভাইয়ের মেয়ে।

নিয়ামত কাকে আগে বিয়ে করে?

আগে ও আমাকেই পছন্দ করে কিন্তু প্রথম শাদি করে শবনমকে।

তারপর?

শবনমকে শাদি করার মাস খানেক পরেই নিয়ামত আমাদের বাড়ি এল কোথাও যাবার পথে। হাজার হোক নতুন জামাই ; ওকে নিয়ে আনন্দে মেতে উঠল সারা বাড়ির লোকজন।

হ্যাঁ, তা তো খুবই স্বাভাবিক।

হঠাৎ নিয়ামত আমাকে নিয়ে একটু ঘুরতে বেরিয়ে বাড়ি থেকে কিছুটা দূরে গিয়েই ও আমার একটা হাত ধরে কাছে টেনে নেয় কিন্তু আমি খারাপ কিছু মনে করিনি।

ফস্টার একটু হেসে বলেন, শালিদের একটু কাছে টেনে নেওয়া বা একটু আদর করার অধিকার তো জামাইবাবুদের থাকেই।

হ্যাঁ, আমিও ঠিক তাই মনে করেছিলাম কিন্তু হঠাৎ ও আমাকে আম বাগানের মধ্যে টেনে নিয়েই সালোয়ার খুলে দেয়।...

—বলো কী?

হ্যাঁ, ফস্টার, ঠিকই বলছি।

তারপর তুমি কী করলে?

খুব জোরে ঝটকা মেরে নিজেকে ছাড়িয়ে নিয়েই এক দৌড়ে বাড়ি ফিরে যাই।

চাঁদনি একবার বুকভরা নিশ্বাস নিয়ে বলে, ব্যাপারটা আর কেউ না জানলেও আমি বুঝলাম, মানুষটা সুবিধার না।

কিন্তু তারপর তো ও তোমাকে বিয়ে করল?

আমাদের সমাজে মেয়েদের মতামতের কোনো দাম নেই ; তাইতো মত বা ইচ্ছা না থাকলেও নিয়ামতের সঙ্গে আমার শাদি হল শবনমের

সঙ্গে শাদি হবার ছমাসের মধ্যে।

তোমাদের দুজনের বিবাহিত জীবন কেমন ছিল?

নিয়ামতরা আসলে ফৈজাবাদের লোক ; ঘটনাচক্র ও ব্যবসার জন্য পাটনায় আসে।

চাঁদনি না থেমেই বলে, কোম্পানির সাহেবদের সঙ্গে বন্ধুত্ব করে নিয়ামতের ব্যবসা বেশ জমে ওঠে, প্রচুর টাকা হয় বিরাট বাড়ি তৈরি করে আর স্রেফ টাকা আর ক্ষমতার জোরে কর্মচারীদের মেয়ে-বউদের নিয়ে স্ফূর্তি করা শুরু করে।

তোমরা দুই বোন থাকা সত্ত্বেও...

ফস্টারকে কথাটা শেষ করতে না দিয়েই চাঁদনি বলে, কদাচিৎ কখনো ও আমাদের সঙ্গে রাত কাটাত।

ও মুহূর্তের জন্য থেমে বলে, কার্লটন সেনাদের যে মাল সরবরাহ করেন, তার বারো আনাই তো নিয়ামতের কাছ থেকে নিতেন। এই বিরাট ব্যবসার জন্য নিয়ামতের সত্তর-পঁচাত্তর জন কর্মচারী ছিল। তাইতো পনেরো-বিশটি যুবতী বউ বা মেয়েকে নিয়ে স্ফূর্তি করতে তার কোনো অসুবিধাই হত না।

চমৎকার!

চাঁদনি একটু ম্লান হাসি হেসে বলে, নিয়ামত চেয়েছিল, আমাদের দু-বোনকে দিয়ে সাহেবদের আপ্যায়ন করে ব্যবসা বাড়াবার জন্য।

তোমরা দুজনে আমাকে নিয়ে মেতে উঠেছিলে কেন?

কলকাতায় তোমার ভদ্রতা সৌজন্যবোধ, সংযমী ব্যবহার দেখে আমরা দুজনেই মুগ্ধ হই। তাইতো বজরায় তোমাকে একান্তভাবে পেয়ে আমরা দীর্ঘদিনের অতৃপ্তি দূর করতে মেতে উঠি।

তোমাদের পাগলামি দেখে আমারও তাই মনে হয়েছিল।

চাঁদনি একটু হেসে বলে, মজার কথা, তুমি পাটনা থেকে চলে যাবার পর আমরা বুঝতে পারি, তোমাকে আমরা ভালোবেসেছি।

তাই নাকি?

হ্যাঁ।

আমি বুঝতে পারি, পরেরবার পাটনায় যাবার পর তোমাদের অভাবনীয়

সেবাযত্ন দেখে।

আচ্ছা সাহেব, তুমি কি আমাদের ভালোবেসেছ?

যারা আমাকে মন-প্রাণ দিয়ে অমন করে সেবাযত্ন করে, তাদের ভালো না বেসে থাকা যায়?

ঠিক বলছ?

হ্যাঁ, ঠিকই বলছি।

মিঃ ফস্টার একটু থেমেই বলেন, হঠাৎ তুমি একলা কলকাতা এলে কেন? শবনম কোথায়?

চাঁদনি একটা দীর্ঘশ্বাস ফেলে বলে, সেদিন আমার শরীর ভালো ছিল না বলে চান করতে গেলাম না ; শবনম একাই গঙ্গায় চান করতে গেল।

হ্যাঁ, তারপর?

একটা সাহেব ঘোড়ায় চড়ে গঙ্গার পাশ দিয়ে যেতে যেতে শবনমকে চান করতে দেখে ঘোড়া থেকে নেমে একটা গাছের আড়ালে দাঁড়িয়ে খুব কাছ থেকে শবনমকে খুব ভালো করে দেখে...

আচ্ছা।

হ্যাঁ, তবে আর বলছি কী?

তারপর?

শবনম ভেজা কাপড়চোপড় ছেড়ে শুকনো সালোয়ার কামিজ পরবে বলে বিরাট বটগাছের আড়ালে যেতেই ওই সাহেব শবনমকে জাপটে ধরেই ঘোড়ায় চড়ে চলে যায়।

সেকী?

হ্যাঁ, সাহেব, সত্যিই সাহেব শবনমকে নিয়ে চলে যায়।

এই ঘটনা তুমি জানলে কী করে?

আশেপাশে যে চাষিরা মাঠে কাজ করছিল, তারাই আমাদের সব জানায়।

শবনম ফিরল কখন?

শবনম ফেরেনি, সে আর ফিরবে না।

সেকথা কে বলল?

কার্লটন দিন দশেক পাগলের মতো ছোটাছুটি করে জানতে পারে,

হার্ডলি নামে কোম্পানির এক বড়ো অফিসার শবনমকে নিয়ে মুঙ্গেরে গিয়ে ওকে খ্রিস্টান করে বিয়ে করেছে।

শবনম এখন হার্ডলির স্ত্রী হয়ে মুঙ্গেরে আছে?

না, না ; ওই সাহেব ওকে নিয়ে মীরাট বলে একটা জায়গায় থাকে।

শবনম তারপর তোমার সঙ্গে যোগাযোগ করেছে?

না, না, কী করে করবে?

চাঁদনি চাপা দীর্ঘশ্বাস ফেলে বলে, আর বোধ হয় সারাজীবনেও ওর সঙ্গে আমার দেখা হবে না।

আমি জানি, কোম্পানির কিছু অফিসার ভালো ভালো ইন্ডিয়ান ফ্যামিলির কিছু সুন্দরী মেয়েকে ছল চাতুরি করে নিজেদের রক্ষিতা করে রেখেছে।

পোড়ারমুখোরা নিজেদের দেশের মেয়েকে বিয়ে করতে পারে না?

বেশ কিছুক্ষণ কারুর মুখেই কোনো কথা নেই। তারপর মিঃ ফস্টার বলেন, চাঁদনি ওই বিরাট বাড়িতে তুমি একলা থাকছ কীভাবে?

চাঁদনি চোখের জল ফেলতে ফেলতে বলে, কী কষ্টে যে ক-টা মাস একলা একলা থেকেছি, তা তুমি ভাবতে পারবে না কিন্তু আর পারলাম না বলেই তো তোমার কাছে ছুটে এসেছি।

ও হঠাৎ ফস্টারের দুটো পা জড়িয়ে ধরে হাউহাউ করে কাঁদতে কাঁদতে বলে, তুমি আমাকে বিয়ে না করলে আমাকে আত্মহত্যা করতে হবে।

ফস্টার দুহাত দিয়ে ওকে তুলে ধরে মুখের সামনে মুখ নিয়ে বলে, তুমি সত্যি চাও, আমি তোমাকে বিয়ে করি?

হ্যাঁ, হ্যাঁ, সত্যি আমি তোমাকে বিয়ে করে বাঁচতে চাই।

কিন্তু আমি যে ঠিক করেছি, কিছুদিন পরই দেশে ফিরে যাব।

আমিও তোমার সঙ্গে তোমার দেশে যাব।

সত্যি আমাদের দেশে যাবে?

কেন যাব না? স্ত্রী হিসেবে স্বামীর সঙ্গে যাওয়াই তো স্বাভাবিক।

কিন্তু...

ফস্টার কথাটা শেষ করে না।

কিন্তু বলে থামলে কেন?

তোমাকে বিয়ে করে নিয়ে যাওয়ার সমস্যা আছে।

সমস্যাটা কী?

অন্য ধর্মের মেয়েকে তো আমরা বিয়ে করতে পারি না।

খ্রিস্টান হতে আমার তো আপত্তি নেই।

আমাদের দেশে তো সবাই ইংরেজিতে কথা বলে ; অন্য কোনো ভাষা কেউ বোঝে না কিন্তু তুমি তো এক বর্ণ ইংরেজি জানো না।

তুমি আমাকে ইংরেজি শিখিয়ে দাও।

ফস্টার হাসতে হাসতে ওকে বুকের মধ্যে জড়িয়ে ধরে বলেন, ইউ আর রিয়েলি এ লাভলি সুইট গার্ল!

কার্লটন মাত্র তিন দিন কলকাতায় থাকার পরই পাটনা ফিরে গেল ; তারপর দীর্ঘদিন আর তার দেখা নেই। তবে পাটনা যাবার আগেই সে জানতে পারে, ফস্টার চাঁদনিকে বিয়ে করবে ও তাকে নিয়েই ছ-সাত মাসের মধ্যে ইংল্যান্ড ফিরে যাবে।

কার্লটন তখনই চাঁদনিকে বলেন, তুমি ইংল্যান্ড যাবার আগে তো তোমার ব্যবসাবাণিজ্য বিষয়সম্পত্তির ব্যবস্থা করতে হবে।

ব্যবস্থা মানে সবই বিক্রি করতে হবে।

সবই বিক্রি করবে?

উনি না থেমেই বলেন, কখনো এখানে এলে তো...

ওকে কথাটা শেষ করতে না দিয়েই চাঁদনি বলে, কার জন্য এখানে আসব বলতে পারেন?

ও না থেমেই বলে, বিয়ের পর নিশ্চয়ই আমার ছেলেমেয়ে হবে ; আমি তাদের ছেড়ে কখনোই এখানে আসব না।

কার্লটনও একটু হেসে বলেন, হ্যাঁ, চাঁদনি, তুমি নিশ্চয়ই মা হবে ; তাদের ছেড়ে এখানে কখনোই এসো না।

আমি তো পাটনা যাচ্ছি না ; আপনাকে আমার তরফে একটা কাজ করতে হবে।

বলো, কী করতে হবে।

আপনি আমাদের কোঠির সব কর্মচারীদেরই চেনেন, তাই না?

হ্যাঁ, মোটামুটি সবাইকেই চিনি।

আপনার দপ্তরেই মনসুর মিঞার কাছে কোঠির সব খরচের হিসাব থাকে। আপনি সব বিক্রি করার পর যে রুপেয়া পাবেন, তার থেকে সব কর্মচারীদের এক সালের মজুরি দিয়ে বলবেন, আমি আর পাটনায় আসছি না ; তাদেরও আর এখানে কাজ করতে হবে না।

হ্যাঁ, তোমার কথামতো ওদের টাকা দেব।

আর একটা বলব।

হ্যাঁ, বলো।

আমাদের কোঠি কি আপনি কিনতে চান?

কার্লটন একটু হেসে বলেন, অত বড়ো কোঠি নিয়ে আমি কী করব? আজ না হোক, দু-চার বছর পর তো আমিও দেশে ফিরে যাব।

উনি না থেমেই বলেন, আমার ব্যবসার দপ্তর আর গুদাম ঘরের জন্য কোঠির সামনের দিকটা রাখতে চাই।

খুব ভালো কথা। কোঠির সামনের দিকের জন্য আপনাকে কোনো রুপেয়া দিতে হবে না ; তবে দেশে ফিরে যাবার সময় ওই অংশ বিক্রি করে যা পাবেন, তা দেশে ফিরে আমাকে দেবেন।

কার্লটন একগাল হেসে বলেন, হ্যাঁ, হ্যাঁ, তা তো দেবই।

কোঠির বাকি অংশ বিক্রি করে দেবেন।

তোমার ব্যবসার অংশ আমি কিনে নিলে তোমার আপত্তি আছে?

বিন্দুমাত্র না।

তোমার অংশের দাম কী হবে?

চাঁদনি একটু হেসে বলে, আপনি যা দেবেন, তা আমি হাসিমুখে গ্রহণ করব।

কিন্তু...

না, না, এর মধ্যে কোনো কিন্তু নেই।

চাঁদনি মুহূর্তের জন্য থেমে বলে, আমি আপনাকে বেশ ক-বছর ধরে দেখছি। আমি জানি, আপনি সৎ, চরিত্রবান ; তাছাড়া আমাকে স্নেহ করেন। আমার স্থির বিশ্বাস, আপনি কখনোই আমাকে ঠকাবেন না।

হ্যাঁ, নিশ্চয়ই আমি তোমাকে স্নেহ করি।

চাঁদনি একটু ম্লান হাসি হেসে বলে, মিঃ কার্লটন, আমার এমনই অদৃষ্ট যে আপনি ছাড়া এখন আর কেউ আমাকে স্নেহ করে না, ফস্টার ছাড়া কেউ আমাকে ভালোবাসে না। আপনাদের দুজনকে আমি কখনোই হারাতে পারব না।

আমি কালই পাটনা রওনা হচ্ছি। সবকিছু বিধিব্যবস্থা করে ফিরতে নিশ্চয়ই একটু সময় লাগবে।

হ্যাঁ, তা তো লাগবেই।

তাহলে আমি যাই?

হ্যাঁ, আসুন।

চাঁদনি সঙ্গে সঙ্গে বলে, সাবধানে থাকবেন।

কার্লটন একটু হেসে বলেন, হ্যাঁ, সাবধানে থাকব কিন্তু তোমাদের দুজনের একজনকেও ওখানে পাব না বলে খুবই ফাঁকা লাগবে।

চাঁদনি আসার পর শুধু ফস্টারের দৈনন্দিন জীবন না, এই বাড়ির অনেক কিছুই বদলে গেল।

আগে ফস্টারের খাওয়া-দাওয়ার কোনো ঠিকঠিকানা ছিল না। কোর্টে বেশি মামলা থাকলে ঘুম থেকে উঠে বাথরুম ঘুরে এসেই উনি চেম্বারে বসে মামলার কাগজপত্র দেখতে শুরু করতেন। তারপর দশটা-সওয়া দশটায় চেম্বার থেকে বেরিয়েই কোর্টে যাবার পোশাক পরে সামান্য কিছু মুখে দিয়েই গাড়িতে উঠতেন।

এখন?

বেশ ভোরেই চাঁদনি ফস্টারকে ডেকে দেয়। তারপর ও বাথরুম থেকে বেরুতেই চাঁদনি একগাল হেসে ফলের রস ভর্তি বড়ো গেলাস এগিয়ে ধরে বলে, প্লিজ হ্যাভ ইট।

ফস্টারও হাসি মুখে ফলের রসের গেলাস হাতে তুলে নেন।

আমি কি ভুল ইংরেজি বলেছি?

তুমি একদম ঠিক বলেছ।

তাহলে একটু একটু শিখছি তো?

হ্যাঁ, শিখছ বইকী।

ফলের রস খাওয়া শেষ হতেই চাঁদনি ওর ওড়না দিয়ে ফস্টারের মুখ মুছিয়ে দিয়েই আলতো একটা চুমু খেয়েই একটু হেসে বলে, প্লিজ গো চেম্বার।

ফস্টার একটু হেসে বলেন, একটু ভুল হল। বলবে — প্লিজ গো টু চেম্বার।

সত্যি ভুল হয়েছে ; তুমি দেখো, আর ভুল করব না।

হ্যাঁ, ফস্টার চেম্বারে যান।

আগে ফস্টার সপ্তাহে একদিন বা বড়োজোর দুদিন স্নান করতেন ; তবে তখন বাথরুমে গিয়ে দুটি মাগির সঙ্গে বিকৃত যৌন আনন্দে মেতে থাকাই ছিল প্রধান কাজ।

এখন?

দেখো ফস্টার, তোমাদের দেশের মতন এখানে আমরা সারাবছর শীতে কাঁপি না ; এটা গরমের দেশ। এখানে স্নান না করলেই শরীর খারাপ হয় আর শরীরও নোংরা থাকে। তোমাকে রোজ স্নান করতে হবে।

ফস্টার চুপ করে চাঁদনির কথা মেনে নেন।

চাঁদনি একজন মাগিকে হুকুম করে, যাও, সাহেবকে ভালো করে স্নান করিয়ে দাও। কোনোরকম বাঁদরামি যদি করেছ, তাহলে জুতো পেটা করে দূর করে দেব।

ফস্টারের পোশাক-পরিচ্ছদ, খাওয়া-দাওয়ার প্রতিও চাঁদনির তীক্ষ্ণ নজর।

সেদিন সন্ধের পর ফস্টার ক্লারেট পান করছিলেন ; সঙ্গে এক-আধ টুকরো কাবাব।

শুধু শুধু ক্লারেট গিলবে না ; সঙ্গে কিছু-না-কিছু খেতেই হবে।

ফস্টার কোনো কথা বলেন না, শুধু একটু হাসেন।

কাবাব কেমন লাগছে?

খুব ভালো।

ফস্টার সঙ্গে সঙ্গেই বলেন, মুনশি তো ভালো মাংস এনেছে।

এই মাংস মুনশি আনেনি, আমি এনেছি।

তুমি?

আজ মুনশি আসেনি?

হ্যাঁ, এসেছিল কিন্তু ওকে আমি তাড়িয়ে দিয়েছি।

এতদিনের পুরোনো কর্মচারীকে তাড়িয়ে দিলে?

তুমি তোমার বুদ্ধি দিয়ে আর দিবারাত্রি পরিশ্রম করে আয় করবে আর তোমার মুনশি প্রতি মাসে তিন-চার হাজার টাকা চুরি করবে, তা আমি কখনোই সহ্য করব না।

ও তিন-চার হাজার টাকা চুরি করত?

জি হাঁ।

আমি তো কিছুই বুঝতে পারিনি।

বুঝবে কী করে?

চাঁদনি না থেমেই বলে, তুমি তো কোনোদিন দোকানবাজারে গিয়ে জিনিসপত্রের দাম জানার চেষ্টা করোনি।

ফস্টার একটু চুপ করে থাকার পর বলেন, এখন কে নিয়মিত দোকানে-বাজারে যাবে?

আমি যাব।

তুমি একলা পারবে?

দু-তিনজন কর্মচারী সঙ্গে নিয়ে যাই।

হ্যাঁ, তাহলে ঠিক আছে।

একটু চুপ করে থাকায় পরই চাঁদনি বলে, তোমার খানসামা-বাবুর্চিরাও কম অসৎ না ; ওদের বলেছি, এবার থেকে কুকুর-বেড়ালের দোষ দিয়ে মাছ-মাংস চুরি করলে তোমাদের মাইনে থেকে টাকা কাটব।

ফস্টার একটা চাপা দীর্ঘশ্বাস ফেলে বলেন, কী আশ্চর্য! ওরাও চুরি করত?

তোমার দুটো মাগিও তো চুরি করত, তা জানো?

কী বলছ?

আজ্ঞে হ্যাঁ, ঠিকই বলছি।

চাঁদনি মুহূর্তের জন্য থেমে বলে, তুমি সারাদিন কোর্টে কাটাবার পর মক্কেলদের সঙ্গে দীর্ঘ সময় কাটাতে চেম্বারে...

ফস্টার সম্মতিতে মাথা নাড়েন।

তারপর এক পেট ক্লারেট পান করার জন্য সামান্য কিছু খেয়েই শুয়ে

পড়তে, তাইতো?

হ্যাঁ, তা বলতে পারো।

তখন দুটি মাগি এসে চূড়ান্ত বাঁদরামি শুরু করলে তুমিও সমানতালে মেতে উঠতে আর তারপরই তুমি ঘুমে ঢলে পড়তে, তাইতো?

ফস্টার মুখে কিছু বলেন না, শুধু একটু হাসেন।

ওই মাগিরা রোজই দেখত তুমি কোথায় টাকাকড়ি রাখতে ; তাইতো তুমি ঘুমিয়ে পড়ার পর ওরা রোজই সেখান থেকে বেশ কিছু টাকা সরাত।

তুমি কী করে জানলে?

আমার সন্দেহ হয়েছিল ; তাইতো ওদের ভয় দেখাতেই স্বীকার করে।

আচ্ছা?

চাঁদনি হাসতে হাসতে বলে, তোমার প্রিয় মাগিদের বাক্স থেকে মোট কত টাকা পেয়েছি জানো?

কত টাকা?

প্রায় বারো হাজার টাকা ছাড়াও তিনশো সোনার মোহর।

কী বলছ?

হ্যাঁ, সত্যিই তাই।

ফস্টার ওকে একটু কাছে টেনে নিয়ে বলেন, তুমি আসার পর অনেক ভালো খাওয়া-দাওয়া করছি অথচ আগের থেকে সংসার খরচ অনেক কমে গেছে।

কর্মচারীদের উপর সবকিছু ছেড়ে দিলে তারা তো লুটেপুটে খাবেই।

তা আগে বুঝিনি। আর একটা কথা বলব?

হ্যাঁ, হ্যাঁ, বলো।

তোমাকে বিয়ে করে আমি সত্যি সুখী হব ; ইউ উইল বি এ চার্মিং ওয়ান্ডারফুল ওয়াইফ।

অ্যান্ড আই উইল বি হ্যাভিং এ চার্মিং ওয়ান্ডারফুল ডিভোটেড হ্যাসব্যান্ড।

দুজনেই হো-হো করে হেসে ওঠেন।

কার্লটন পাটনা থেকে এলেন প্রায় পাঁচ মাস পরে।

চাঁদনি, এতদিন পর এলাম বলে তুমি আমাকে ক্ষমা করে দিও কিন্তু বিশ্বাস করো, ব্যবসার কাজ সামলে বিক্রির জন্য ভালো খদ্দের খুঁজে পেতেই এত সময় লাগল।

আপনি তো কোনো অন্যায় করেননি, সুতরাং ক্ষমা চাইছেন কেন?

চাঁদনি না থেমেই বলে, আমি জানি, ব্যবসা নিয়ে আপনাকে যথেষ্ট ব্যস্ত থাকতে হয় ; তাছাড়া জমিজমা বাড়িঘর বিক্রি করা খুব সহজ ব্যাপার না।

কার্লটন বন্ধু ফস্টারের দিকে তাকিয়ে হাসতে হাসতে বলেন, তুমি একজন ভালো অ্যাটর্নি হয়ে এত বছরে যা জমাতে পেরেছ, বোধ হয় তার থেকে অনেক বেশি টাকা নিয়েই চাঁদনি তোমার সঙ্গে ইংল্যান্ডে যাবে।

চাঁদনি একটু হেসে বলে, মিঃ কার্লটন, আপনি দয়া করে টাকাকড়ি আপনার বন্ধুকে বুঝিয়ে দেবেন। বিয়ের পর স্বামী-স্ত্রীর আলাদা কিছু থাকে না। তাছাড়া আমার দায়দায়িত্ব তো আপনার বন্ধুকেই পালন করতে হবে।

কার্লটন খুশির হাসি হেসে বলেন, চাঁদনি, তোমার পরিবর্তন দেখে আমি অবাক হয়ে যাচ্ছি। আমি আবার বলছি, অনেক ভাগ্য করে ফস্টার তোমাকে স্ত্রী হিসেবে পাবে।

মিঃ ফস্টার সঙ্গে সঙ্গে বলেন, হ্যাঁ, কার্লটন, তুমি ঠিকই বলেছ। চাঁদনি এই সামান্য সময়ের মধ্যেই আমার ব্যক্তিগত জীবনে ও আমার সংসারের কত ভালো ভালো পরিবর্তন এনেছে, তা তুমি ভাবতে পারবে না।

তোমার বাড়ির পরিবেশ দেখেই আমি তা আন্দাজ করতে পারছি।

কার্লটন এইকথা বলেই একটা বড়ো থলি বন্ধুর হাতে দিয়ে বলেন, এর মধ্যে মোট সাত লক্ষ তিরিশ হাজার সিক্কা টাকা আছে ; থলির মধ্যেই একটা কাগজে সব হিসেব আর ক্রেতাদের নামধাম লেখা আছে।

ব্যস্ততার জন্য কার্লটন তখনই চলে গেলেন।

কার্লটন চলে যাবার পর ফস্টার চাঁদনিকে বলেন, ডার্লিং, এবার আস্তে আস্তে দেশে ফেরার তোড়জোড় শুরু করি?

হ্যাঁ, আমিও তাই চাই।

জাহাজে চড়ার আগে অনেক কাজ করতে হবে।

সবার আগে তো আমাকে খ্রিস্টান হতে হবে?

হ্যাঁ, তা তো হবেই ; তারপরই আমাদের বিয়ে হবে।

আমিও চাই, তোমার স্ত্রী হিসেবে তোমার দেশে যেতে।

রওনা হবার আগে ৬২-৬৩ জন কর্মচারীকে তিন মাসের মাইনে দিয়ে বিদায় জানাতে হবে, তোমার বুড়ি দাসীর ঘর তৈরি করার জন্য হাজার তিনেক টাকা দিতেই হবে, বড়ো রাঁধুনির যে বাচ্চা মেয়েটাকে তুমি পড়াতে, তার পড়াশুনার জন্য অন্তত শ-পাঁচেক দেওয়া উচিত...

হ্যাঁ তা তো দিতেই হবে।

এরপর আছে আমাদের জাহাজ ও কেবিন ভাড়া দশ হাজার টাকা, জাহাজে খাওয়া-দাওয়া ও মদ্যপানের খরচ বাবদ দুহাজার টাকা, কলকাতা থেকে ফলতা যাবার জন্য স্লুপ ভাড়ার খরচ শ-পাঁচেক।

ওর কথার মাঝখানেই চাঁদনি বলেন, আমরা কি ফলতায় গিয়ে জাহাজে উঠব?

না, না ; সাগরদ্বীপে গিয়ে জাহাজে উঠতে হবে ; তবে আমাদের স্লুপ সাগরদ্বীপ পর্যন্ত যেতে পারবে না বলে ফলতায় পৌঁছে আমরা জাহাজে কমান্ডারের বড়ো নৌকায় উঠব।

এইসব কাজ ছাড়া তোমাকে আর কী করতে হবে?

ভেবেছি, কার্লটন যে টাকাটা এনেছে, তার থেকে লাখ তিনেক টাকা এখানে ট্রেজারিতে জমা করব।

তাতে কী লাভ?

শতকরা আট টাকা হিসেবে সুদ পাব বাড়িতে বসে...

তার মানে?

তার মানে বছরে প্রায় তিন হাজার পাউন্ড পাওয়া যাবে।

ফস্টার একগাল হেসে বলেন, ওই সুদের টাকায় আমরা দুজনে মহানন্দে জীবন কাটিয়ে দিতে পারব।

আমার ছেলেমেয়েরা কিছু পাবে না?

ফস্টার হাসতে হাসতে ওকে জড়িয়ে ধরে বলে, সবসময় শুধু ছেলেমেয়েদের চিন্তা ; তোমার চিন্তা নেই, ওদের জন্য যথেষ্ট থাকবে।

সত্যি থাকবে তো?

হ্যাঁ, হ্যাঁ, থাকবে।

দ্বিতীয় পর্ব

এক

প্রফেসর অ্যান্ডারসন তাঁর প্রিয় ছাত্রী অ্যাঞ্জেলিনাকে বলেন, একটা আনন্দের খবর জানাবার জন্যই তোমাকে ডেকে পাঠিয়েছি।

স্যার, কী আনন্দের খবর জানাবেন?

বলছি।

প্রবীণ যশস্বী অধ্যাপক মুহূর্তের জন্য থেমে বলেন, তুমি নিশ্চয়ই জানো, আমাদের এই 'স্কুল অব ওরিয়েন্টাল অ্যান্ড আফ্রিকান স্টাডিজ' বিশ্বের অন্যতম শ্রেষ্ঠ গবেষণা কেন্দ্র হিসেবে স্বীকৃত।

হ্যাঁ, স্যার, জানি।

তাইতো ভারত, জাপান, শ্রীলঙ্কা, থাইল্যান্ড কম্বোডিয়ার মতো প্রাচ্য দেশ বিষয়ক শ্রেষ্ঠ ছাত্র বা ছাত্রীকে ওইসব দেশের রাজা বা প্রধানমন্ত্রীর স্বর্ণপদক দেওয়া হয়। ভারতবর্ষ নিয়ে যেসব ছাত্র-ছাত্রী এবারের ফাইন্যাল পরীক্ষায় উত্তীর্ণ হয়েছে, তাদের মধ্যে প্রথম স্থান অধিকার করার জন্য তুমি এবার ভারতের প্রধানমন্ত্রীর স্বর্ণপদক পাবে।

অ্যাঞ্জেলিনা একগাল হেসে বলে, স্যার, কী বলছেন আপনি?

মাই ডিয়ার অ্যাঞ্জেলিনা, আমি ঠিকই বলছি।

বৃদ্ধ অধ্যাপক একটু হেসে বলেন, তোমার জন্য আরও সুখবর আছে।

স্যার, আবার কী সুখবর থাকবে?

আছে, আছে।

প্রফেসর অ্যান্ডারসন না থেমেই বলেন, যে ছাত্র বা ছাত্রী প্রাইম মিনিস্টার্স গোল্ড মেডেল পায়, তাকেই ভারত সরকারের অতিথি হিসেবে এক বছর ধরে ভারতের যত্রতত্র সফর করার...

অ্যাঞ্জেলিনা আর ধৈর্য ধরতে পারে না ; বলে, স্যার, সত্যি আমি এক বছর ধরে নিজের ইচ্ছামতো ইন্ডিয়ায় ঘুরতে পারব?

হ্যাঁ, হ্যাঁ, পারবে।

অ্যাঞ্জেলিনা হাসতে হাসতে বলে, স্যার, আমার গ্র্যান্ডমা এইসব খবর শোনার পর আনন্দে খুশিতে আমাকে অন্তত একশো বার চুমু খাবেন।

ওই বৃদ্ধার খুশি হবার কারণ আছে। হাজার হোক, উনিই তো তোমাকে এখানে ভর্তি করেন ইন্ডিয়া নিয়ে পড়াশুনা করার জন্য।

গ্র্যান্ডমা আমাকে এখানে ভর্তি না করলে আমি ঠিক ইকনমিক্স নিয়ে পড়তাম।

এখন আর সে আলোচনা করে কী লাভ?

অধ্যাপক না থেমেই বলেন, আগামী সোমবার আমাদের সমাবর্তন, তা জানো তো?

হ্যাঁ, স্যার, জানি।

আমাদের রেক্টর তোমাকে প্রাইম মিনিস্টার্স গোল্ড মেডেল গলায় পরিয়ে দেবেন। তারপরই ইন্ডিয়ান হাই কমিশনার ভারতে যাতায়াতের জন্য এয়ার ইন্ডিয়ার টিকিট, ভারতের মধ্যে যত্রতত্র ভ্রমণের ভারতীয় রেলের স্পেশ্যাল পাস, কেন্দ্রীয় ও প্রাদেশিক সরকারের সমস্ত হোটেল বা টুরিস্ট লজে থাকা-খাওয়ার অনুমতির চিঠিপত্র ইত্যাদি তোমার হাতে তুলে দেবেন।

অ্যাঞ্জেলিনা হাসতে হাসতে বলে, স্যার, আর বলবেন না ; এইসব শুনে আমার মাথা ঘুরে যাচ্ছে।

মাই ডিয়ার বিলাভেড স্টুডেন্ট, এইসব শুনে তোমার মাথা ঘুরে গেলে তো চলবে না ; শুধু তোমার না, আমাদেরও মাথা ঘুরে যায় ভারতবর্ষের কথা মনে করলে।

হ্যাঁ, স্যার, ঠিকই বলেছেন।

অ্যাঞ্জেলিনা না থেমেই বলে, আমি ভাবতেই পারি না, ভগবান যীশুর জন্মের আড়াই হাজার বছর আগেই সিন্ধু উপত্যকায় এত উন্নত সভ্যতা কী করে গড়ে উঠল? হঠাৎ একদিনেই তো হরপ্পা বা মহেঞ্জোদারো গড়ে ওঠেনি?

কখনোই না। বহুজনের বহু বছরের সাধনায় একটা সভ্যতার জন্ম হয়।

হ্যাঁ, স্যার, আমি ঠিক সেই কথাই বলছি। যীশুর জন্মের আড়াই হাজার বছর আগে যে মহেঞ্জোদারো-হরপ্পা অত উন্নত ও অত্যন্ত সুপরিকল্পিত শহর ছিল, তার প্রস্তুতি ছিল অনেক বছর আগে থেকেই।

তা অস্বীকার করার কোনো যুক্তি নেই।

অধ্যাপক একবার বুক ভরে নিশ্বাস নিয়েই বলেন, যাই হোক, ভারতবর্ষকে ভালোভাবে দেখার জন্য, ভালোভাবে জানার জন্য তুমি অভাবনীয় সুযোগ-সুবিধা পেতে চলেছ...

হ্যাঁ, স্যার।

আশা করি, তুমি তার সদ্ব্যবহার করবে।

হ্যাঁ, স্যার, নিশ্চয়ই সদ্ব্যবহার করব।

অ্যাঞ্জেলিনা সঙ্গে সঙ্গে বলে, স্যার, আপনি গবেষণা করার জন্য বেশ ক-বছর ইন্ডিয়ায় থেকেছেন ; তাছাড়া সেমিনার-কনফারেন্স ইত্যাদিতে যোগ দেবার জন্য প্রত্যেক বছরই দু-এক মাস ইন্ডিয়াতে থাকেন। ওদেশে নিশ্চয়ই অনেক ঘনিষ্ঠ পরিচিতরা আছেন...

অধ্যাপক একগাল হেসে বলেন, বোধ হয় এখানকার চাইতে ইন্ডিয়াতেই আমার বেশি বন্ধু আছেন। আমি বেশ কয়েকটা চিঠি তোমাকে দেব ; তুমি আমার ওই চিঠি নিয়ে ওদের সঙ্গে দেখা করলে ওরা নিশ্চয়ই তোমাকে সাহায্য করবেন।

হ্যাঁ, স্যার, খুব ভালো হবে।

অ্যাঞ্জেলিনার বৃদ্ধা ঠাকুমা সব শুনে খুবই খুশি হলেন ; তবে বললেন, দ্যাখ সুইটি, ইন্ডিয়া গভর্নমেন্ট তোকে এইসব সুযোগ-সুবিধে না দিলেও আমি তোকে ইন্ডিয়ায় পাঠাতাম ওই দেশটা ভালো করে জানার জন্য।

হ্যাঁ, গ্র্যান্ডমা, তুমি সেকথা আমাকে বহুবার বলেছ।

সুইটি, তোর ধারণা, তোর যে পূর্বপুরুষ ইস্ট ইন্ডিয়া কোম্পানির আমলে ক্যালকাটা গিয়েছিলেন, তিনি যেমন দশ হাতে টাকা রোজগার করেছেন, সেইরকমই চরিত্রহীন ছিলেন।

সেটা শুধু আমার ধারণা না, একদম ঠিক কথা।

তবে বন্ধু, তুমি জেনে রাখো, ইস্ট ইন্ডিয়া কোম্পানির আমলে আমাদের দেশের যে হাজার হাজার ছেলেছোকরারা ইন্ডিয়ায় গিয়েছিল, তারাও সাধু ছিলেন না।

বৃদ্ধা একবার নিশ্বাস নিয়ে বলেন, তবে সঙ্গে সঙ্গে বলব, সবাই যে যৌন ব্যভিচারে মত্ত ছিলেন, তা নয়। একই নিশ্বাসে বলব, ইন্ডিয়ায় গিয়ে চুরি করেনি বা ইন্ডিয়ানদের উপর অমানুষিক অত্যাচার করেনি, এমন একজনও ইংরেজ এখান থেকে ওখানে যায়নি।

সত্যি খুবই দুঃখের ব্যাপার।

মাই ডিয়ার সুইটি, শুধু ইন্ডিয়ায় না, ইংরেজ যেসব দেশ দখল করেছে, সর্বত্রই একই ইতিহাস। তাইতো ওইসব দেশের মানুষ ইংরেজের বিরুদ্ধে আন্দোলন করে নিজেদের দেশ স্বাধীন করেছে।

আচ্ছা গ্র্যান্ডমা, যে দেশে পাঁচ হাজার বছর আগে সিন্ধু উপত্যকায় অত্যন্ত উন্নত সভ্যতার নিদর্শন পাওয়া গিয়েছে, সেই দেশকে কি কোনো ইংরেজই ভালোবাসেননি?

নিশ্চয়ই কিছু ইংরেজ ভারতবর্ষের ধর্ম, সংস্কৃতি ও ঐতিহ্যের প্রতি অত্যন্ত শ্রদ্ধাশীল ছিলেন এবং গবেষণা করে ওই দেশের অনেক অজানা গৌরবময় অধ্যায় আবিষ্কারও করেছেন।

বৃদ্ধা প্রিয় নাতনিকে কাছে টেনে নিয়ে মাথায় মুখে হাত বুলিয়ে দিতে দিতে বলেন, এই পরিবারের পূর্বপুরুষ ইন্ডিয়ায় আয় করা টাকা দিয়ে যে বিরাট বাড়ি তৈরি করেন, আমরা সেই বাড়িতেই বাস করি। ইন্ডিয়ার কত কী ছড়িয়ে-ছিটিয়ে রয়েছে এই বাড়ির সর্বত্র। ইচ্ছায় হোক বা অনিচ্ছায় হোক, আমাদের পক্ষে ইন্ডিয়াকে পদে পদে মনে না করে উপায় নেই।

হ্যাঁ, গ্র্যান্ডমা, ঠিক বলেছ।

আমি চাই, তুমি ইন্ডিয়ায় গিয়ে ওই দেশকে ভালো করে দেখবে, ওই দেশের ইতিহাস-ধর্ম-সংস্কৃতি-ঐতিহ্যর সঙ্গে পরিচিত হয়ে আসল ইন্ডিয়াকে জানবে।

বৃদ্ধা একটু হেসে বলেন, পৃথিবীর কোনো দেশই শুধু যৌন ব্যভিচারের লীলাভূমি হতে পারে না।

গ্র্যান্ডমা, ইউ আর রাইট।

লন্ডন।

অক্সফোর্ড স্ট্রিটে 'এয়ার ইন্ডিয়া'র অফিস।

মেয়েটি ভিতরে ঢুকে দৃষ্টিটা একবার ঘুরিয়ে নিয়েই কাউন্টারের মহিলার কাছে এগিয়ে যায়।

মেয়েটি দু-হাত জোড় করে নমস্কার করার পর হিন্দিতে বলে, ম্যঁয় অ্যাঞ্জেলিনা ফস্টার।

মহিলা কর্মী একগাল হেসে বলেন, নমস্কার! আপনি তো ভারি সুন্দর হিন্দি বলেন! আপনি কি অনেকবার আমাদের দেশে গিয়েছেন?

অ্যাঞ্জেলিনা একটু হেসে বলে, না, আমি কোনোদিন আপনাদের দেশে যাইনি ; এইবারই প্রথম যাব।

তার মানে এখানেই হিন্দি শিখেছেন?

আমি 'স্কুল অব ওরিয়েন্টাল অ্যান্ড আফ্রিকান স্ট্যাডিজ'-এ পাঁচ বছর ইন্ডিয়া নিয়ে পড়েছি ও গবেষণা করেছি...

রিয়েলি?

আমি ওখানে পড়াশুনা করতে করতেই হিন্দি আর বাংলা শিখেছি।

মহিলা কর্মী এবার হাসতে হাসতে বলেন, আমার সঙ্গে আর হিন্দিতে কথা বলতে হবে না, বাংলাতেই বলুন ; আমি বাঙালি।

অ্যাঞ্জেলিনা হাসতে হাসতে বলে, কী সৌভাগ্য আমার! আপনার নাম জানতে পারি?

আমি রঞ্জনা অরোরা।

অ্যাঞ্জেলিনা ভুরু কুঁচকে বলে, কিন্তু অরোরারা তো পাঞ্জাবি হয়।

মাই গড! আপনি তাও জানেন?

আমাদের ওই স্কুলে অনেক ইন্ডিয়ান ছেলেমেয়েই পড়াশুনা করে। তাইতো জেনেছি, অরোরারা পাঞ্জাবি, বড়ুয়ারা অহমিয়া, পটনায়েক ওড়িষার, যোশী গুজরাতের, পিল্লাই কেরলের...

থাক, থাক, আর বলতে হবে না।

এবার রঞ্জনা বলেন, আপনি কি টিকিট কাটবেন?

অ্যাঞ্জেলিনা তার ঝোলা ব্যাগ থেকে একটা খাম বের করে রঞ্জনার

হাতে দিয়ে বলেন, প্লিজ এর ভিতরের চিঠি আর টিকিটটা দেখুন।

চিঠি আর টিকিটের উপর দিয়ে একবার চোখ বুলিয়েই রঞ্জনা একটু হেসে গলা চড়িয়ে বলেন, ও মাই গড! আপনি তো রীতিমতো ভি-আই-পি। প্লিজ একটু বসুন ; আমি ম্যানেজারের কাছ থেকে আসছি।

দু-চার মিনিটের মধ্যেই রঞ্জনার সঙ্গে একজন বয়স্ক ভদ্রলোক এসে অ্যাঞ্জেলিনার দিকে ডান হাত বাড়িয়ে বলেন, মিস ফস্টার, আয়াম সাংমা, ম্যানেজার।

অ্যাঞ্জেলিনা করমর্দন না করে দু-হাত জোড় করে নমস্কার করে।

সাংমা একগাল হেসে বলেন, হ্যাঁ, হ্যাঁ, নমস্কার। মেহেরবানি করে আমার চেম্বারে আসুন ; রঞ্জনা, ইউ অলসো কাম।

ম্যানেজারের ঘরে বসতেই মিঃ সাংমা বলেন, মিস ফস্টার, কী খাবেন? চা না কফি?

অ্যাঞ্জেলিনা একটু হেসে বলে, রঞ্জনাদি, কফিতে আপত্তি নেই তো?

রঞ্জনাও একগাল হেসে বলেন, না, না, আপত্তি নেই।

মিঃ সাংমা টেলিফোনের একটা বোতাম টিপে বলেন, তিনটে কফি।

কফি খেতে খেতেই কথাবার্তা হয়।

মিঃ সাংমা বলেন, আপনি কবে ইন্ডিয়ায় যেতে ইচ্ছুক?

সামনের মাসের প্রথম সপ্তাহে।

এখন ওখানে আপনার একটু গরম লাগতে পারে ; তাতে কোনো আপত্তি বা অসুবিধা...

ওকে কথাটা শেষ করতে না দিয়েই অ্যাঞ্জেলিনা বলে, না, না, আমার কোনো অসুবিধে হবে না।

এবার বলুন, লন্ডন থেকে সোজা কোথায় যেতে চাইছেন?

কলকাতা।

মিঃ সাংমা একটু অবাক হয়ে বলেন, কলকাতা? দিল্লি বা বোম্বে না?

আমি কলকাতা থেকেই আপনাদের দেশ দেখা শুরু করব।

আপনি কি জানেন, পাশ্চাত্য দেশের যাত্রীদের মধ্যে শতকরা একজনও কলকাতা থেকে ইন্ডিয়া ট্যুর শুরু করেন না।

অন্যরা কে কী করেন বা করবেন, সে সম্পর্কে আমি কী বলব? আমি

কলকাতা থেকেই যাত্রা শুরু করে ভারতবর্ষকে নতুন করে আবিষ্কার করতে চাই।

মিঃ সাংমা একটু হেসে বলেন, আপনি ভারত সরকারের সম্মানিত অতিথি হয়ে আমাদের দেশে যাচ্ছেন। আপনি যেভাবে খুশি আমাদের দেশ দেখতে পারেন কিন্তু জানতে পারি কি, প্রথমে কলকাতা কেন যাচ্ছেন?

অ্যাঞ্জেলিনা একটু হেসে বলেন, আপনি তো নিশ্চয়ই জানেন, পলাশীতে সিরাজের পরাজয়ের পর থেকেই ইস্ট ইন্ডিয়া কোম্পানির সৈন্যবাহিনী এক-একটা অঞ্চল বা রাজত্ব দখল করতে করতেই সমগ্র ভারত দখল করে।

হ্যাঁ, খুব ভালো করেই জানি।

ইস্ট ইন্ডিয়া কোম্পানি কলকাতাকেই ভারতের রাজধানী করে; তাইতো আমি সেখানেই প্রথম যেতে চাই।

সত্যি অভিনব আইডিয়া।

মিঃ সাংমা, আপনি আমাকে সামনের মাসের ছ-সাত তারিখের যে কোনোদিন লন্ডন-কলকাতার প্যাসেজ...

ওর কথার মাঝখানেই মিঃ সাংমা বলেন, লন্ডন-ক্যালকাটা ডাইরেক্ট ফ্লাইট নেই; আপনাকে দিল্লি বা বোম্বেতে ফ্লাইট চেঞ্জ করে কলকাতার ফ্লাইট ধরতে হবে।

যখন প্লেন বদলাতেই হবে, তখন আমার কাছে দিল্লি বা বোম্বে একই ব্যাপার; যেদিক দিয়ে তাড়াতাড়ি কলকাতা পৌঁছতে পারব, আমি শুধু তাই চাই।

তবে আপনার বোম্বেতে প্লেন চেঞ্জ করলেই একটু তাড়াতাড়ি কলকাতা পৌঁছতে পারবেন।

তাহলে তাই হোক।

মিঃ সাংমা সঙ্গে সঙ্গে রঞ্জনাকে বলেন, তুমি মিস অ্যাঞ্জেলিনার প্যাসেজ বুক করেই হাই কমিশনারের চিঠি কোট করে মেসেজ পাঠাবে হিথরো এয়ারপোর্ট ম্যানেজার, চিফ ম্যানেজার বোম্বে আর ম্যানেজার,ক্যালকাটাকে।

স্যার, আমি এখুনি সব করছি।

অ্যাঞ্জেলিনা বলেন, মিঃ সাংমা। আমি রঞ্জনার সঙ্গে যাই?

হ্যাঁ, হ্যাঁ, স্বচ্ছন্দে যেতে পারেন।

রঞ্জনা নিজের জায়গায় ফিরে এসেই অ্যাঞ্জেলিনার দিকে তাকিয়ে বলেন, আপনি আরেকবার কফি খাবেন?

অ্যাঞ্জেলিনা একটু হেসে বলে, আপনি-আপনি করে কথা বললে কফি খাব না ; তুমি করে কথা বললে হাসি মুখে কফি খাব।

রঞ্জনা একগাল হেসে বলে, তুমি সত্যি খুবই ইন্টারেস্টিং মেয়ে।

আমার তো মনে হচ্ছে, তুমি অনেক বেশি ইন্টারেস্টিং মেয়ে।

কেন?

কলকাতায় মেয়ে হয়ে পাঞ্জাবি ছেলেকে বিয়ে করে এখন এই লন্ডন শহরে চাকরি করছ। বাপ রে বাপ! ভাবা যায়?

কফি খেতে খেতে তোমার টিকিটটা করে দিই ; তারপর তোমাকে মজা দেখাচ্ছি।

যাইহোক টিকিট হাতে পেয়েই অ্যাঞ্জেলিনা বলে, রঞ্জনা, তোমার ছুটি কখন হবে?

কেন বলো তো?

দুজনে লাঞ্চ খেতে খেতে কলকাতার বিষয়ে একটু কথা বলতাম।

আমাদের অফিসেই বেশ ভালো লাঞ্চের ব্যবস্থা আছে ; আশা করি, এখানে খেতে তোমার আপত্তি নেই?

না, না, আপত্তি কেন থাকবে?

সো লেট আস মুভ।

হ্যাঁ, চলো।

লাঞ্চ খেতে খেতেই দুজনের কথা হয়।

আচ্ছা রঞ্জনা, তুমি কী কলকাতার মেয়ে?

হ্যাঁ, শুধু আমার জন্ম না, কলকাতাতেই আমি পড়াশুনা করেছি।

তার মানে তুমি খুব ভালো করেই কলকাতা চেনো?

রঞ্জনা একগাল হেসে বলে, হ্যাঁ, হ্যাঁ ; কলেজ ইউনিভার্সিটিতে পড়ার সময় বন্ধুদের পাল্লায় সারা কলকাতা চষে বেড়িয়েছি।

ভালো।

অ্যাঞ্জেলিনা না থেমেই বলে তোমরা কলকাতায় কোথায় থাকতে?

আমাদের বাড়ি সেন্ট্রাল কলকাতার ঝামাপুকুর।

সেন্ট্রাল কলকাতা মানে এসপ্লানেড-লালবাজারের কাছে? নাকি কলেজ স্ট্রিট ইউনিভার্সিটির কাছাকাছি?

রঞ্জনা হাসতে হাসতে বলে, তুমি কলকাতা না গিয়েও অনেক কিছু জানো?

ভুলে যেও না, আমি 'স্কুল অব ওরিয়েন্টাল অ্যান্ড আফ্রিকান স্ট্যাডিজ'-এ পাঁচ বছর ইন্ডিয়া নিয়ে পড়েছি ও গবেষণা করেছি ; তাছাড়া আমার স্পেশ্যাল পেপার ছিল বেঙ্গল।

অ্যাঞ্জেলিনা না থেমেই একটু হেসে বলে, না গিয়েও আমি বেঙ্গলের বিষয়ে অনেক কিছু জানি।

হ্যাঁ, তাইতো দেখছি।

কলকাতায় গিয়ে আমি বাগবাজারে যাব।

কেন? ওখানে কী দরকার?

প্রথমে যাব বাগবাজারের বিখ্যাত বোস বাড়ি...

রঞ্জনা অবাক হয়ে বলে, বোস বাড়ি?

অ্যাঞ্জেলিনা একটু হেসে বলে, ইয়েস মাই ডিয়ার ফ্রেন্ড।

বাট হোয়াই? হোয়াই দেয়ার?

স্বামী বিবেকানন্দ শিকাগো বিশ্ব ধর্ম সম্মেলনে ইতিহাস সৃষ্টি করে যেদিন কলকাতা ফেরেন, সেদিন বিকেলেই বাগবাজারের বোস বাড়িতে তাঁকে নাগরিক সংবর্ধনা দেওয়া হয়।

রঞ্জনা ওর একটা হাত ধরে বলে, আমি এত বছর কলকাতায় কাটিয়েও ওই ঐতিহাসিক বাড়িটি দেখিনি বলে সত্যি নিজেকে অপরাধী মনে হচ্ছে।

এবার কলকাতা গেলে ওই বাড়ি দেখতে ভুল না হয়।

না, না, কখনোই ভুল হবে না।

রঞ্জনা সঙ্গে সঙ্গেই বলে, আচ্ছা অ্যাঞ্জেলিনা, বাগবাজারে কি আর ওইরকম ঐতিহাসিক বাড়ি আছে?

অ্যাঞ্জেলিনা একটু হেসে বলে, ওখানে অমন ঐতিহাসিক বাড়ি আরও আছে।

যেমন?

বিবেকানন্দের আদেশে রামকৃষ্ণ মিশনের অন্য কোনো বাড়ি তৈরির আগে বাগবাজারে মায়ের বাড়ি তৈরি হয়, তা কি জানো?

না, ভাই, এই প্রথম জানলাম।

এনি মোর সাচ হিস্টোরিক...

ওকে কথাটা শেষ করতে না দিয়েই অ্যাঞ্জেলিনা বলে, নিবেদিতা তো সারাজীবন বোসপাড়ায় কাটিয়েছেন ; যতদূর মনে হচ্ছে, এখন সেখানেই তো বিখ্যাত নিবেদিতা স্কুল। তাছাড়া রামকৃষ্ণ ও মা সারদার অভাবনীয় স্নেহধন্য গিরিশচন্দ্র আর বলরাম বসুর বাড়ি ওই একই পাড়ায়।

সত্যি ভাবা যায় না।

লাঞ্চ শেষ হবার পর রঞ্জনা বলে, একটা প্রশ্ন বার বার মনে আসছে ; ভাবছি, তোমাকে জিজ্ঞাসা করা ঠিক হবে কি না।

অ্যাঞ্জেলিনা একটু হেসে বলে, কী এমন প্রশ্ন যে তোমাকে এত চিন্তায় ফেলেছে?

তাহলে জিজ্ঞেস করব?

স্বচ্ছন্দে।

তুমি কি কোনো বাঙালি ছেলের প্রেমে পড়েছ যে বিয়ের পর তোমাকে বাংলায় কাটাতে হবে বলে...

অ্যাঞ্জেলিনা হো-হো করে হেসে উঠে বলে, না, ভাই, কোনো বাঙালি ছেলে আমাকে প্রেম নিবেদন করেনি, আমিও কোনো বাঙালিকে ভালোবাসিনি।

তবে?

শুনবে, আসল কারণ?

হ্যাঁ, শুনি।

অ্যাঞ্জেলিনা একবার বুক ভরে নিশ্বাস নিয়ে বলে, বহু বছর আগে ইস্ট ইন্ডিয়া কোম্পানির প্রথম যুগে আমার এক পূর্বপুরুষ কলকাতায় বহু বছর কাটিয়ে দেশে ফেরেন।

তিনি কি কোম্পানির কর্মচারী ছিলেন?

না, তিনি অ্যাটর্নি ছিলেন।

ও!

অ্যাঞ্জেলিনা মৃদু হেসে বলে, ওই ভদ্রলোকের ডায়েরি পড়ে আমি জেনেছি, তখন অধিকাংশ ইংরেজই বাড়িতে দুটি করে মাগি রাখতেন ও যখন-তখন তাদের সঙ্গে ওই সাহেব বিকৃত যৌন উপভোগে মেতে উঠতেন।

হ্যাঁ, আমিও সেসব কাহিনি পড়েছি।

অ্যাঞ্জেলিনা মুহূর্তের জন্য থেমে বলে, জানো রঞ্জনা, সেই কোম্পানি আমলে অধিকাংশ ইংরেজই মনে করতেন, নেটিভ মাগিদের নিয়ে চূড়ান্ত স্ফূর্তি করা আর যেন-তেন উপায়ে আয় করাই অত্যন্ত কৃতিত্বের ও গর্বের কাজ।

তোমার একটা কথা শুনতে বিশেষ ভালো লাগছে না।

কোন কথাটা?

মেয়েদের না বলে বার বার মাগি কেন বলছ?

তুমি শুনলে অবাক হবে, তখনকার দিনে অধিকাংশ ইংরেজই তোমাদের দেশের মেয়েদের মাগি বলতেন ; তাই আমিও মাগি বলছি।

বাই দ্য ওয়ে তুমি কলকাতা বা সমগ্র ভারতবর্ষ সম্পর্কে এত আগ্রহী কেন?

একবার বুকভারে নিশ্বাস নিয়ে অ্যাঞ্জেলিনা বলে, ওই চরিত্রহীন পূর্বপুরুষের তৈরি বাড়িই আমাদের ফ্যামিলি হেড কোয়ার্টার। ওই বাড়িতে শুধু আমার জন্ম না, ওই বাড়িতেই আমি বড়ো হয়েছি।

তাই নাকি?

হ্যাঁ।

অ্যাঞ্জেলিনা সঙ্গে সঙ্গেই বলে, শুধু তাই না। ওই চরিত্রহীন মহাপুরুষের জমানো টাকার জন্য আমার গ্র্যান্ডমা এখনও বোধ হয় বছরে দেড় হাজার পাউন্ড সুদ পান ; অর্থাৎ ইচ্ছায় বা অনিচ্ছায় ওই অর্থের একটা অংশ নিশ্চয়ই উপভোগ করেছি।

হ্যাঁ, তা হতে পারে।

আমার ওই পূর্বপুরুষ ভারতবর্ষকে দেখেছেন, এক বিশেষ দৃষ্টিকোণ থেকে আর আমি চাই ভারতবর্ষের চিরশাশ্বত রূপটিকে চিনতে, জানতে ও প্রত্যক্ষ করে ধন্য হতে।

বাঃ! খুব ভালো।

রঞ্জনা সঙ্গে সঙ্গেই বলে, তোমাকে একটা সাজেস্‌শন দেব?

হ্যাঁ, হ্যাঁ, বলো।

তুমি যখন কলকাতা পৌঁছবে, তখন ওখানে শীত শেষ হয়ে আসছে কিন্তু তোমাদের কাছে একটু গরম লাগবে বলে মনে হয়।

ওটা তুচ্ছ ব্যাপার।

আচ্ছা তুমি কি শান্তিনিকেতনের বিষয়ে কিছু জানো?

অ্যাঞ্জেলিনা একটু হেসে বলে, পাঁচ বছর ভারতবর্ষ নিয়ে পড়াশুনা করলাম আর শান্তিনিকেতনের কথা জানব না?

ও না থেমেই বলে, পোয়েট টেগোর মনে করতেন, জেলখানার মতো এক-একটা ইট-সিমেন্ট-লোহার তৈরি ঘরের মধ্যে কিছু ছেলেমেয়েকে বন্দি করে লেখাপড়া শেখালে তাদের চিত্তের প্রসারতা কখনোই বাড়তে পারে না।

রঞ্জনা একগাল হেসে বলে, ঠিক বলেছ।

আমি জানি, পোয়েট টেগোর শহর থেকে দূরে প্রাকৃতিক পরিবেশে বিশ্বভারতী প্রতিষ্ঠা করেন যাতে ছেলেমেয়েরা প্রকৃতির অপূর্ব ছন্দের সঙ্গে নিজেদের জীবনের ছন্দ মিলিয়ে শিক্ষালাভ করে।

হ্যাঁ, অ্যাঞ্জেলিনা, তাইতো বলছি, তুমি কলকাতা পৌঁছবার দিন দশেক পর শান্তিনিকেতন যেও 'বসন্তোৎসব' দেখতে।

বসন্তোৎসব মিনস্ ফেস্টিভ্যাল অব অটাম?

হ্যাঁ।

রঞ্জনা না থেমেই বলে, দেখবে নাচে-গানে-রঙে কী অপূর্বভাবে বসন্তকে সাদর অভ্যর্থনা জানানো হচ্ছে।

ওই উৎসব কদিন ধরে চলে?

শুধু ওইদিন সকালেই এই অনুষ্ঠান হয় ; তবে ওই উৎসবের অঙ্গ হিসেবে একটা মেলারও আয়োজন করে বিশ্বভারতী কর্তৃপক্ষ।

থ্যাঙ্ক ইউ রঞ্জনা, আমি নিশ্চয়ই বসন্তোৎসব দেখব।

দেখে জানাবে, কেমন লাগল।

হ্যাঁ, জানাব।

হিথরো।

লন্ডন বিমানবন্দরের ভি. আই. পি লাউঞ্জেই এয়ার ইন্ডিয়ার এয়ারপোর্ট ম্যানেজার মিঃ শ্রীনিবাসন অ্যাঞ্জেলিনার সঙ্গে আলাপ করিয়ে দিলেন প্রফেসর চট্টোপাধ্যায়ের।

শ্রীনিবাসনের কাছে অ্যাঞ্জেলিনার সবকিছু জানার পর প্রফেসার চট্টোপাধ্যায় তার সহযাত্রীকে বলেন, ওয়েলকাম টু ইন্ডিয়া।

ধন্যবাদ।

আপনার মতো সহযাত্রী পেয়ে সত্যি ভালো লাগছে।

অ্যাঞ্জেলিনা একটু হেসে বলে, আমি আপনার মেয়ের বয়সি ; তাই আমার একান্ত অনুরোধ আপনি আমাকে তুমি বলবেন।

অধ্যাপক চট্টোপাধ্যায়ও হাসতে হাসতে বলেন, তোমার কাছে হেরে গিয়েও গর্ব হচ্ছে ; ইউ আর রিয়েলি অ্যান একসেপ্শন্।

উনি মুহূর্তের জন্য থেমে বলেন, দুটি কারণে তোমাকে ভালো লাগছে।

স্যার, কারণ দুটি জানতে পারি?

হ্যাঁ, বলছি।

অধ্যাপক চট্টোপাধ্যায় না থেমেই বলেন, ছাত্র ও গবেষক হিসেবে আমি দশ বছর তোমাদের দেশে কাটিয়েছি ; তাছাড়া প্রায় প্রতি বছরই দু-এক মাসের জন্য তোমাদের দেশে আসি কখনো ভিজিটিং অধ্যাপক হিসেবে বা কোনো কনফারেন্স-সেমিনারে অংশ নিতে।

অ্যাঞ্জেলিনা চুপ করে ওর কথা শোনে।

তোমাদের দেশের গুণীরা অবশ্যই ভারতের শিক্ষা-সংস্কৃতি-ঐতিহ্যর জন্য শ্রদ্ধাশীল কিন্তু সাধারণ মানুষরা ভারতের মানুষকে শ্রদ্ধা তো দূরের কথা, অশিক্ষিত, মূর্খ ও রক্ষণশীল মনে করেন বলেই তাদের ঘৃণা করেন।

আর দ্বিতীয় কারণ?

তুমি ভারতবর্ষ ও ভারতের মানুষকে সত্যি ভালোবাসো।

অধ্যাপক হাসতে হাসতে বলেন, তুমি অবশ্যই গুণী মেয়ে ; তাই তুমি এত বিনয়ী ও ভদ্র। তাছাড়া ইউ লাভ বোথ ইন্ডিয়ানস্ অ্যান্ড ইন্ডিয়া ; তাইতো তোমাকে আমার এত ভালো লেগেছে।

অ্যাঞ্জেলিনা হাসতে হাসতে বলে, আপনার কথাগুলো শুনতে খুবই ভালো লাগল কিন্তু সত্যিই কি ভালো মেয়ে?

এয়ার ইন্ডিয়ার বিমান হিথরো মাটি ত্যাগ করে ইতিমধ্যেই চল্লিশ হাজার ফুট উপর দিয়ে ভেসে চলেছে। এক্সিকিউটিভ্ ক্লাসে মুষ্টিমেয় ভাগ্যবানের দল ; তাদের কেউ সিনেমা দেখছেন বা গান শুনছেন অথবা কম্পিউটার নিয়ে কাজ করছেন। দু-একজন বই পড়ছেন।

অধ্যাপক চট্টোপাধ্যায় আর অ্যাঞ্জেলিনা ওদের দলে নেই। ওরা আপনমনে কথাবার্তা বলছেন। অ্যাঞ্জেলিনা অধ্যাপককে জানায়, আমার পূর্বপুরুষ ভারতবর্ষকে চিনতেন, শুধু বিকৃত যৌন আনন্দ উপভোগের লীলাভূমি আর ন্যায়-অন্যায়ভাবে টাকা রোজগারের দেশ হিসেবে। আমি চাই, চিরদিনের চিরকালের শাশ্বত ভারতবর্ষের জীবন প্রত্যক্ষ করতে, অনুভব করতে।

খুব ভালো কথা।

আমার এক বন্ধু বলেছে, শান্তিনিকেতন নিয়ে বসন্তোৎসব দেখতে।

হ্যাঁ, হ্যাঁ, নিশ্চয়ই যেও।

উনি মুহূর্তের জন্য থেমে বলেন, তুমি মনে রেখো, আমরা হিন্দুরা যেমন বহু দেবদেবীর উপাসক, সেইরকম বিশ্ব প্রকৃতিরও পূজারী।

যেমন?

এই যে তুমি শান্তিনিকেতনে যাবে, রবীন্দ্রনাথের সৃষ্টি ও পরিকল্পনা মতো 'বসন্তোৎসব' দেখতে, সে তো বসন্ত-বন্দনা, তাই না?

হ্যাঁ, স্যার, ঠিকই বলেছেন।

তুমি কি কোনোদিন শুনেছ বা দেখেছ, তোমাদের দেশে কোথাও বসন্ত-বন্দনার মতো প্রকৃতির বিশেষ কোনো পর্যায় নিয়ে কোনো উৎসব হয়?

না, স্যার, আমি সেরকম কোনো উৎসবের কথা শুনিনি, দেখিওনি।

তুমি শান্তিনিকেতন যাবে বলেই বলছি, রবীন্দ্রনাথ ছিলেন হানড্রেড পার্সেন্ট প্রকৃতি-পূজারী। তোমাদের দেশে প্রকৃতি তার রূপ-লাবণ্য বিশেষ প্রকাশ না করলেও আমাদের দেশে বারো মাসে ছ-টি ঋতু আছে ; রবীন্দ্রনাথ গ্রীষ্ম-বর্ষা-শরৎ-হেমন্ত-শীত-বসন্ত নিয়েই তাঁর অসামান্য সংগীত সৃষ্টি করেছেন।

স্যার, আপনার কথা শুনে আমি অবাক না হয়ে পারছি না।

অধ্যাপক চট্টোপাধ্যায় একটু হেসে বলেন, ভুলে যেও না, আমরা প্রকৃতির সন্তান। রবীন্দ্রনাথ আমাদের বার বার স্মরণ করিয়ে দিয়েছেন, শান্তির জন্য, পবিত্রতার জন্য মানুষকে প্রকৃতির ঘনিষ্ঠ সান্নিধ্যে থাকতে হবে ; প্রকৃতি থেকে যত দূরে মানুষ থাকবে, তার জীবন তত জটিল হতে বাধ্য।

উনি একটু চুপ করে থাকার পর বলেন, যদি সম্ভব হয়, তাহলে রবীন্দ্রনাথের বর্ষামঙ্গল দেখবে, আশা করি ভালো লাগবে।

হ্যাঁ, স্যার, চেষ্টা করব।

অ্যাঞ্জেলিনা একটু পরেই বলে, স্যার, আপনি কোথায় থাকেন?

আমি দিল্লিতে থাকি।

আপনি কি দিল্লি ইউনিভার্সিটির অধ্যাপক?

হ্যাঁ, আমি ইতিহাস বিভাগের প্রধান অধ্যাপক।

অ্যাঞ্জেলিনা বিস্ময়ের সঙ্গে বলে, ইতিহাসের অধ্যাপক হয়েও রবীন্দ্র সাহিত্য সম্পর্কে জ্ঞান ও পাণ্ডিত্য দেখে সত্যি অবাক হচ্ছি।

অধ্যাপক চট্টোপাধ্যায় একটু হেসে বলেন, হাজার হোক আমি বাঙালি ; বাংলা আমার মাতৃভাষা। তাইতো রবীন্দ্রনাথের সাহিত্য সম্পর্কে কিছু জ্ঞান আছে কিন্তু পাণ্ডিত্য নেই।

স্যার, দিল্লি গেলে আপনার সঙ্গে দেখা হবে কি?

কেন হবে না?

অধ্যাপক পার্স থেকে একটা ভিজিটিং কার্ড বের করে ওর হাতে দিয়ে বলেন, দিল্লিতে এসে যোগাযোগ কোরো।

হ্যাঁ, স্যার, নিশ্চয়ই করব।

একটু চুপ করে থাকার পর অ্যাঞ্জেলিনা বলে, স্যার, দিল্লিতে আপনি কোন এলাকায় থাকেন?

আমি থাকি ইউনিভার্সিটির কাছাকাছি কমলা নগর এলাকায়।

অধ্যাপক না থেমেই বলেন, যদি আপত্তি না থাকে, তাহলে আমার বাড়িতে এসো ; বোধ হয় ভালো লাগবে।

স্যার, আপনার বাড়িতে আসতে আপত্তি থাকবে কেন? আমি নিশ্চয়ই আপনার বাড়ি আসব।

তুমি এলে আমরা স্বামী-স্ত্রী ছাড়া আমার মেয়ে খুবই খুশি হবে।

আপনার মেয়ে নিশ্চয়ই বেশ বড়ো হয়েছে...

হ্যাঁ, সে এম. এ পড়ে।

তাহলে তো ও আমাকে খুবই সাহায্য করতে পারবে। আপনার মেয়েকে সঙ্গে নিয়েই আমি দিল্লি দেখব।

তাতে ও খুশিই হবে।

বেশ কিছুক্ষণ নীরবতার পর অধ্যাপক চট্টোপাধ্যায় বলেন, তুমি কলকাতায় কোথায় থাকবে?

গড়িয়াহাটের কাছে গোল পার্কে রামকৃষ্ণ মিশন ইন্‌স্টিটিউট অব কালচারের গেস্ট হাউসে।

ওখানে থাকলে তোমার অনেক সুবিধা হবে।

হ্যাঁ, সেইরকমই তো শুনেছি।

অধ্যাপক চট্টোপাধ্যায় বলেন, সব চাইতে বড়ো কথা, ওখানকার পরিবেশ অন্য কোথাও পাওয়া যাবে না ; ওখানাকার শান্ত পবিত্র পরিবেশ তোমার কাজের সহায়ক হবে।

উনি না থেমেই বলেন, তাছাড়া ওদের লাইব্রেরিটি 'এককথায় অসাধারণ ; সর্বোপরি ওখানকার স্বামীজিরা তোমার কাজে খুবই সাহায্য করতে পারবেন।

অ্যাঞ্জেলিনা একগাল হেসে বলে, স্যার, স্বামীজিরা দয়া করে আমাকে সাহায্য করলে আমার ভারতে যাওয়া সার্থক হবে।

যার শুরু আছে, তার শেষও আছে।

লন্ডন থেকে বোম্বে।

হিথরো থেকে ছত্রপতি শিবাজী আন্তর্জাতিক বিমানবন্দর।

নিঃসন্দেহে দীর্ঘ পথ ; এই দীর্ঘ পথে কত নদ-নদী-সাগর-মহাসাগর, কত অসংখ্য দেশের উপর দিয়ে উড়ে আবার পৃথিবীর মাটি স্পর্শ করে ভারতের মহানগরীর সদাব্যস্ত আন্তর্জাতিক বিমানবন্দরে।

এয়ার ইন্ডিয়ার বিমানটির গন্তব্যস্থল দিল্লি। অ্যাঞ্জেলিনা বোম্বে থেকেই কলকাতা যাবে বলে অধ্যাপক চট্টোধ্যায়ের কাছ থেকে বিদায় নেয়। আধঘণ্টা পরেই কলকাতার বিমান ছাড়ে।

তারপর?

কলকাতা।

মালপত্র নিয়ে বিমানবন্দর থেকে বেরুতেই অ্যাঞ্জেলিনা দেখে, একদল লোক বেশ কিছু প্যাসেঞ্জারের নাম বা কোম্পানির নাম লেখা বোর্ড নিয়ে দাঁড়িয়ে আছে।

কী আশ্চর্য! লোকটি আমার নাম লেখা বোর্ড হাতে নিয়ে দাঁড়িয়ে আছে কেন?

অ্যাঞ্জেলিনা ওকে জিজ্ঞেস করতেই জানতে পারে, বড়ো মহারাজ আপনাকে নিয়ে যাবার জন্য গাড়ি পাঠিয়েছেন।

আমি বলিনি তবু উনি গাড়ি পাঠালেন!

ড্রাইভার একটা সুটকেস হাতে নিয়ে গাড়ির দিকে যেতে যেতে বলেন, আপনি এতদূর থেকে আসছেন ; নিশ্চয়ই অত্যন্ত ক্লান্ত। তাইতো বড়ো মহারাজ...

বুঝেছি।

যেসব অতিথিরা দূর থেকে আসেন, তাদের জন্য বড়ো মহারাজ গাড়ি পাঠাবেনই।

এইসব কথাবার্তার পরই গাড়ি স্টার্ট করে। অ্যাঞ্জেলিনা দু-চোখ ভরে কলকাতা দেখে।

গাড়ি ছুটছে। দুপাশের মানুষ আর বিরাট বিরাট ঘরবাড়ি দেখে অবাক হয় অ্যাঞ্জেলিনা। গাড়ি যত এগুচ্ছে, শহরের চেহারা বদলে যাচ্ছে ; বদলে যাচ্ছে মানুষের পোশাক, গাড়ির বাহার।

একটা গোল চক্কর ঘুরেই গাড়ির গতি খুবই কম করে ড্রাইভার বাঁ-দিকে

হাত দিয়ে বলে, মেমসাহেব, এটাই আমাদের ইনস্টিটিউটের প্রধান প্রবেশ পথ ; তবে আপনাকে যেতে হবে পিছনের দিকে।

এক মিনিট পরেই গাড়ি থামে।

মেমসাহেব, আসুন।

লাগেজ গাড়িতেই থাকবে?

লাগেজ আপনার ঘরে পৌঁছে যাবে।

ও!

গেরুয়া বসনধারী এক সন্ন্যাসীর কাছে পৌঁছেই ড্রাইভার অ্যাঞ্জেলিনাকে দেখিয়ে বলেন, মহারাজ, ইনিই বিলেত থেকে এসেছেন ; আমি এয়ারপোর্ট থেকে নিয়ে এলাম।

মহারাজ অ্যাঞ্জেলিনার দিকে একটু হেসে ইংরেজিতে বলেন, ইউ আর মিস্ ফস্টার?

অ্যাঞ্জেলিনা এক-গাল হেসে বাংলায় বলে, হ্যাঁ, মহারাজ!

মহারাজ অবাক হয়ে বলেন, আপনি বাংলা জানেন?

হ্যাঁ, আমি বাংলা আর হিন্দি জানি।

বাঃ! খুব ভালো।

মাসের পর মাস ধরে যে দেশের সর্বত্র ঘুরব, তার ভাষা না জানলে চলে?

হ্যাঁ, ঠিকই বলেছেন।

মহারাজ মুহূর্তের জন্য থেমেই বলেন, এখন আমি বুঝতে পারছি আপনি স্কুল অব ওরিয়েন্টাল অ্যান্ড আফ্রিকান স্টাডিজ-এ আমাদের দেশ নিয়ে পড়াশুনা ও গবেষণা করে প্রধানমন্ত্রীর পদক...

ওকে কথাটা শেষ করতে না দিয়েই অ্যাঞ্জেলিনা বলে, আজ্ঞে হ্যাঁ।

আপনি কাইন্ডলি এই রেজিস্টারে নামধাম লিখে সই করে ঘরে যান।

বড়ো মহারাজের ঘরে পা দিয়েই থমকে দাঁড়ায় অ্যাঞ্জেলিনা। বড়ো মহারাজের পিছনেই ঠাকুর রামকৃষ্ণ, শ্রীশ্রীমা সারদা আর স্বামী বিবেকানন্দের ছবি। সারা ঘরে ধূপের গন্ধ। ঘরের মাঝখানে সুন্দর কিছু ফুল।

আর কী?

আর শুধু বই। মহারাজের টেবিল আর দুপাশে কত বই।

দুজন বেশ বয়স্ক ভদ্রলোক মহারাজকে প্রণাম করে বেরিয়ে যাবার জন্য পা বাড়াতেই উনি স্নিগ্ধ হাসি হেসে অ্যাঞ্জেলিনার দিকে তাকিয়ে বলেন, মা, আসুন।

অ্যাঞ্জেলিনা ওকে প্রণাম করতেই মহারাজ ওর মাথার উপরে হাত দিয়ে মুহূর্তের জন্য দু-চোখ বন্ধ করে বলেন, ঠাকুর আপনার মঙ্গল করুন।

মহারাজ, আপনি আমাকে মা বললেন কেন?

মহারাজ প্রসন্ন হাসি হেসে বলেন, আমাদের সংস্কৃতি শিখিয়েছে, সব নারীকেই মাতৃরূপে দেখতে, সম্মান করতে।

কিন্তু আমি তো সামান্য এক যুবতী ; তবুও...

হ্যাঁ, মা, তবুও।

মহারাজ একগাল হেসে বলেন, খুব অল্পবয়সি মেয়েকেও আমরা মা বলি...

কিন্তু কেন?

সব অল্পবয়সের মেয়েদের মধ্যেই তো মাতৃভাব লুকিয়ে থাকে। তাছাড়া আমাদের বহু দেবতাই দেবী।

প্রবীণ মহারাজ না থেমেই বলেন, তুমি যখন কলকাতা এসেছ, তখন অতি অবশ্যই কালীঘাটের ও দক্ষিণেশ্বরে মা কালীর মন্দিরে যাবে ; দেখবে ভারতের নানা অঞ্চলের নানা ভাষাভাষীর লোকজন মাকে প্রণাম করছেন।

আমি নিশ্চয়ই দু জায়গার মায়ের মন্দিরেই যাব।

দেখো মা, তুমি যদি ভারতের সভ্যতা-সংস্কৃতি নিয়ে পড়াশুনা করতে চাও, তাহলে তোমাকে অন্তত কয়েক বছর এখানে থাকতে হবে। তবে আমি সব ভারত-প্রেমিক বিদেশিদের অনুরোধ করি, একটু কষ্ট করে আমাদের দেশ দেখতে ; তাহলেই তোমার চোখের সামনে ফুটে উঠবে ভারতীয় সভ্যতা-সংস্কৃতির আসল রূপ ও শক্তি।

হ্যাঁ, মহারাজ, আমি নিশ্চয়ই সারাদেশ ঘুরব। আমি উত্তরে হিমালয়ের কেদারনাথ-বদ্রীনাথ থেকে ভারতের দক্ষিণ প্রান্তের কন্যাকুমারী মায়ের মন্দিরে যেতে চাই।

খুব ভালো কথা।

মহারাজ সঙ্গে সঙ্গেই একগাল হেসে বলেন, মা, তুমি এমন একটা দেশে এসেছ, যায় প্রতিটি ধূলিকনার সঙ্গে ইতিহাস জড়িয়ে আছে।

অ্যাঞ্জেলিনা একটু হেসে বলে, মহারাজ, ভারতবর্ষ নিয়ে গবেষণা করার সময় তা জেনেছি।

মহারাজ কয়েক মুহূর্ত ওকে দেখে বলেন, মা, তোমার বয়স বেশি না। হঠাৎ এই বয়সে আমাদের দেশ সম্পর্কে এত আগ্রহ হল কেন?

উনি একই নিশ্বাসে বলেন, তোমার মা-বাবা বা ঠাকুর্দা কি আমাদের দেশে ছিলেন?

একবার বুক ভরে নিশ্বাস নিয়ে অ্যাঞ্জেলিনা বলে, না, আমার মা-বাবা বা ঠাকুর্দারা না, ইস্ট ইন্ডিয়া কোম্পানির একেবারে প্রথম দিকে আমার এক পূর্বপুরুষ এই শহরে এসেছিলেন।

তিনি কি কোম্পানিতে চাকরি করতেন?

না, তিনি অ্যাটর্নি ছিলেন ; আইনজীবী হিসেবে প্রচুর অর্থ উপার্জনের আশায় এখানে আসেন।...

তাই তুমি...

মহারাজ, আপনি তো খুব ভালো করেই জানেন, সেই সময় আমাদের দেশ থেকে যারা এখানে আসে, তাদের সবাই যেনতেনপ্রকারেণ প্রচুর অর্থ আয় করা আর নেটিভ মেয়েদের নিয়ে চরম উচ্ছৃঙ্খল জীবন যাপন করাই চরম কৃতিত্ব বলে মনে করতেন।

হ্যাঁ, খুব ভালো করেই জানি।

আমার পূর্বপুরুষ তাদেরই একজন ছিলেন। তাদের কাছে ভারত ছিল ব্যভিচারের লীলাভূমি ; তাইতো আমি চির শাশ্বত সভ্যতা-সংস্কৃতির পুণ্যভূমি ভারতবর্ষকে চিনতে চাই, চেনাতে চাই।

দুই

কালীঘাট।

চিরপবিত্র পীঠস্থান!

শুধু মূর্তি দেখে না, ভোর পাঁচটাতেই এত ভক্তের ভিড় দেখে অ্যাঞ্জেলিনা অবাক।

অ্যাঞ্জেলিনা অপলক দৃষ্টিতে মূর্তি দেখতে দেখতে কেমন যেন আচ্ছন্ন হয়ে পড়ে কয়েক মুহূর্তের জন্য ; এক দল নারী-পুরুষ ভক্তের 'মা, মাগো, কৃপা করো মা', 'দয়া করো মা' ইত্যাদি সম্মিলিত প্রার্থনায় ওর আচ্ছন্নভাব কেটে যায়।

অ্যাঞ্জেলিনা আশেপাশের ভক্তদের কথাবার্তা শুনেই বুঝতে পারে, না, শুধু বাঙালি না, প্রচুর হিন্দি ভাষী ছাড়াও বেশ কিছু দক্ষিণ ভারতীয়ও এসেছেন মাকে প্রণাম করতে।

ও মনে মনে ভাবে, শুনেছিলাম বাঙালিরাই কালীভক্ত হয় কিন্তু এইতো চোখের সামনে দেখছি, শুধু বিহার-উত্তর প্রদেশের হিন্দিভাষীরাই না, সুদূর দক্ষিণ ভারতেরও অনেক ভক্ত এসেছে মাকে প্রণাম করতে, মাকে পূজা দিতে।

ইনস্টিটিউটের যে তরুণ কর্মী তপন, ওর সঙ্গে এসেছেন, সেই ভদ্রলোক একটু হেসে বলেন, দিদি, আজ শনিবারের ভিড় দেখেই অবাক হচ্ছেন? তাহলে নববর্ষের দিন ভিড় দেখলে তো আপনি মূর্ছা যাবেন।

কী বলছেন আপনি?

হ্যাঁ, দিদি, ঠিকই বলছি।

উনি মুহূর্তের জন্য থেমেই বলেন, আমাদের বাংলা নববর্ষের তো বেশি

দেরি নেই। সেদিন এই কালীঘাট আর দক্ষিণেশ্বরের মায়ের মন্দিরে ভক্তের ভিড় দেখে সত্যি স্তম্ভিত হবেন।

হ্যাঁ, হ্যাঁ, সেদিন আপনি দয়া করে আমাকে কালীঘাট আর দক্ষিণেশ্বর দেখাবেন।

দয়ার কথা কেন বলছেন? আপনি অত দূর থেকে আমাদের এখানে এসেছেন ; আপনাকে ঘুরিয়ে-ফিরিয়ে দেখানো তো আমাদের কর্তব্য।

উনি সঙ্গে সঙ্গেই বলেন, আপনার আপত্তি না থাকলে এখনই আপনাকে দক্ষিণেশ্বরের মাকে দর্শন করাতে নিয়ে যেতাম।

দক্ষিণেশ্বর যেতে আপত্তি থাকবে কেন?

অ্যাঞ্জেলিনা একই নিশ্বাসে বলে, চলুন, দক্ষিণেশ্বর ঘুরেই আসি।

গাড়িতে যেতে যেতে তপন বলে, দিদি, আপনি কি ঠাকুর রামকৃষ্ণের সম্পর্কে কিছু পড়াশুনা করেছেন?

অ্যাঞ্জেলিনা একটু হেসে বলে, যে তরুণ সন্ন্যাসী শিকাগো বিশ্ব ধর্ম সম্মেলনে অন্যান্য সব বক্তার মতো 'লেডিজ অ্যান্ড জেন্টলমেন' না বলে 'সিস্টার্স অ্যান্ড ব্রাদার্স অব আমেরিকা' বলে সমবেত শ্রোতামণ্ডলীকে চমকে দিয়ে তাদের হৃদয় জয় করেন, সেই স্বামী বিবেকানন্দের গুরুর বিষয়ে কিছু না জেনেই কী আপনাদের দেশে এসেছি?

সরি, আপনার কাছে হেরে গিয়েও ভালো লাগছে। মহারাজদের কাছে শুনেছি, আপনি পাঁচ বছর ভারতবর্ষ সম্পর্কে পড়াশুনা ও গবেষণা করেছেন। তাইতো আপনি যে স্বামীজি বা ঠাকুর রামকৃষ্ণ সম্পর্কে যথেষ্ট পড়াশোনা করেছেন, তা আমার বোঝা উচিত ছিল।

মিঃ তপন, ভারতবর্ষ সম্পর্কে আমি কিছু জানলেও অনেক কিছুই জানি না ; সেইজন্যই তো আপনাদের দেশে এসেছি।

অ্যাঞ্জেলিনা না থেমেই বলে, পৃথিবীর অন্যতম প্রাচীন সভ্যতার দেশ ভারতবর্ষ ; সেই দেশকে ভালোভাবে জানা কি সহজ ব্যাপার?

হ্যাঁ, ঠিক বলেছেন।

আমি ভারতবর্ষ সম্পর্কে যত পড়াশুনা বা চিন্তাভাবনা করি, আমি ততই অবাক হয়ে যাই।

কেন?

যত বিদেশি শক্তি ভারতবর্ষ আক্রমণ করেছে, পৃথিবীর অন্য কোনো দেশে এত বিদেশি আক্রমণ হয়নি।

বোধ হয় আপনি ঠিকই বলছেন।

বোধ হয় না, আমি ঠিকই বলছি।

অ্যাঞ্জেলিনা একবার বুকভরে নিশ্বাস নিয়েই বলে, আক্রমণকারী বিদেশি শক্তি শুধু আপনাদের দেশ দখল করতে চায়নি, তারা চেয়েছে, জোরজুলুম করে এই দেশের সব হিন্দুদের খ্রিস্টান বা ইসলাম ধর্মে দীক্ষিত করতে।

হ্যাঁ, ঠিকই বলছেন।

মিঃ তপন, কিছু কিছু আক্রমণকারী ভারতের অসংখ্য মন্দির চূর্ণ-বিচূর্ণ করেছে। তাছাড়া বহু মন্দির থেকে লুঠ করেছে হাজার হাজার কোটি টাকা দামের সোনা-রূপা-মণি-মুক্তো।

অ্যাঞ্জেলিনা একটু শুকনো হাসি হেসে বলে, কিন্তু কী আশ্চর্য! ভারতের শাশ্বত সভ্যতা, সংস্কৃতি ও ধর্ম কোনো বিদেশি শক্তিই ধ্বংস করতে পারেনি।

গাড়ি দক্ষিণেশ্বর মন্দির চত্বরে ঢুকতেই অ্যাঞ্জেলিনা অবাক হয়ে বলে, আজ এত ভিড়?

আজ যে শনিবার।

তাতে কী হল?

শনিবার যে মা কালীর প্রিয় দিন ; তাইতো অসংখ্য ভক্ত শনিবারে মাকে দর্শন করতে বা পুজো দিতে আসেন।

প্রত্যেক শনিবারই এইরকম ভিড় হয়?

বাংলা ক্যালেন্ডারের ভাদ্র, পৌষ আর চৈত্র মাসে লক্ষ লক্ষ মানুষ মাকে দর্শন করতে আসেন ; ওই তিন মাসের প্রত্যেক শনিবারই আরও অনেক বেশি ভিড় হয়।

অ্যাঞ্জেলিনা মা ভবতারিণীকে কয়েক মুহূর্তের জন্য অপলক দৃষ্টিতে দেখার পর মাথা নিচু করে নীরবে দাঁড়িয়ে থাকে বেশ কিছুক্ষণ। তারপর দ্বাদশ শিব মন্দির ঘুরে ঠাকুরের ঘরে পা দিয়েই একবার চারপাশে দৃষ্টি ঘুরিয়ে নিয়েই মেঝেয় বসে চোখ বন্ধ করে।

তপন অবাক না হয়ে পারে না।

দু-পাঁচ মিনিট না, প্রায় আধ ঘণ্টা পরে অ্যাঞ্জেলিনা দু-হাত জোড় করে ঠাকুরকে প্রণাম করে উঠে দাঁড়ায়।

ওখান থেকে বেরিয়ে আসার পর তপন বলে, দিদি, একটা কথা জিজ্ঞেস করব?

হ্যাঁ, হ্যাঁ, বলুন কী জানতে চান।

অ্যাঞ্জেলিনা একটু হেসেই বলে।

ঠাকুরের ঘরে অতক্ষণ চোখ বন্ধ করে কি ধ্যান করছিলেন?

আমি তো জানি না, কীভাবে ধ্যান করতে হয়।

তাহলে চোখ বন্ধ করে কী ভাবছিলেন?

অ্যাঞ্জেলিনা একবার বুকভরে নিশ্বাস নিয়ে বলে, ভাবছিলাম, এই বিস্ময়কর মহাপুরুষটির কথা।

বিস্ময়কর কেন বলছেন?

রামকৃষ্ণ বিস্ময়কর মহাপুরুষ ছিলেন না?

তপন একটু হেসে বলে, আপনি কেন ঠাকুরকে বিস্ময়কর বলছেন, তাই আমি জানতে চাই।

আগে চলুন, একটু ফাঁকা জায়গায় বসি ; তারপর বলছি কেন আমি...

হ্যাঁ, চলুন।

ফাঁকা জায়গায় বসার পর অ্যাঞ্জেলিনা বলে, দেখুন, সব ধর্মের সব ধর্মগুরুরাই ভক্ত নারী-পুরুষকে মন্ত্র দিয়ে শিষ্য-শিষ্যা করতে অভ্যস্ত ; ব্যতিক্রম ঠাকুর রামকৃষ্ণ।

তপন অবাক হয়ে ওর কথা শোনে।

এই মহাপুরুষের সান্নিধ্যে এসে অনেকেই তাঁর পরম ভক্ত হয়েছেন কিন্তু ঠাকুর গুরুগিরিতে বিশ্বাস করতেন না বলেই কাউকেই তিনি দীক্ষা দেননি। তবে হ্যাঁ, তিনি তাঁর ঘনিষ্ঠ ও প্রিয় ভক্তদের উপযুক্ত শিক্ষা দিতে ত্রুটি করেননি।

অ্যাঞ্জেলিনা না থেমেই বলেন, তবে ঠাকুর নিজেই তাঁর 'নরেন'কে দলের কাপ্তেন করে বললেন, তোকে লোকশিক্ষে দিতে হবে আর দেখতে হবে আর সবাইকে।

হ্যাঁ, ঠিক বলেছেন।

তারপর দীর্ঘদিন অসুস্থ থাকার পর ঠাকুর দেহরক্ষা করলেন ; তখন নরেনের বয়স তেইশ বছর সাত মাস চার দিন।

কী আশ্চর্য! আপনি তাও জানেন?

অ্যাঞ্জেলিনা একটু হেসে বলে, পাঁচ বছর ধরে তো শুধু আপনাদের দেশ নিয়ে পড়াশুনা আর চিন্তাভাবনা করেছি। তাছাড়া রোমাঁ রোলাঁ যেমন রবীন্দ্রনাথের পরামর্শে শুধু বিবেকানন্দের লেখা পড়ে ভারতবর্ষ চিনেছিলেন, আমিও তেমনি বিবেকানন্দর মাধ্যমে এই দেশ চিনেছি।

তপনের মুখে আর কথা নেই।

ঠাকুর দেহরক্ষা করলেন ১৮৮৬ সালের ১৬ আগস্ট আর নরেনরা আঁটপুরে যজ্ঞ করে সন্ন্যাস হন। রোমাঁ রোলাঁর মতে সেদিন ছিল ভগবান যীশুর জন্মদিন।

তপন মাথা নেড়ে সম্মতি জানায়।

তবে রাখাল জানুয়ারিতে মুঙ্গের থেকে ফিরলে বরানগর মঠে বিরজা যজ্ঞ করে সবাই আনুষ্ঠানিকভাবে সন্ন্যাস হন। নরেন্দ্রনাথ হলেন স্বামী বিবিদিষানন্দ আর রাখাল হলেন ব্রহ্মানন্দ।

অ্যাঞ্জেলিনা চাপা দীর্ঘশ্বাস ফেলে বলে, ঠাকুরের ঘরে বসে আমার চোখের সামনে ফুটে উঠল সেইসব দিনের ইতিহাস।

দু-চার মিনিট কারুর মুখেই কোনো কথা নেই।

তারপর তপন বলে, এবার ফিরবেন তো?

হ্যাঁ, তবে দু-একদিনের মধ্যেই বেলুড় যেতে হবে।

আপনি যেদিন বলবেন, সেইদিনই বেলুড় ঘুরিয়ে আনব।

বড়ো মহারাজ বলেন, কেমন দেখলে কালীঘাট আর দক্ষিণেশ্বর?

মা কালীর প্রতি মানুষের ভক্তি দেখে অবাক হয়েছি।

অ্যাঞ্জেলিনা না থেমেই বলে, আচ্ছা মহারাজ, ভারতের সব মানুষই কি এইরকম কালীভক্ত?

না।

বড়ো মহারাজ সঙ্গে সঙ্গেই বলেন, ভারতের মানুষ ঈশ্বর বিশ্বাসী। হিন্দুদের অনেক দেবদেবী ; আমাদের দেশের মানুষ কোনো-না-কোনো দেব

বা দেবীকে আরাধনা করে। দক্ষিণ ভারতে মহাদেব সব চাইতে বেশি পূজিত কিন্তু মজার কথা, ওখানে বিষ্ণুও কোটি কোটি মানুষের দ্বারা পূজিত হন।

অ্যাঞ্জেলিনা নীরবে মহারাজের কথা শোনে।

উত্তর ও দক্ষিণ ভারতে শ্রীকৃষ্ণ ও রাধা নিত্য পূজিত হন বহুজনের ঘরে ঘরে।

তার মানে ভারতবর্ষের মানুষ একাধিক দেবতাকে পূজা করে?

হ্যাঁ।

বড়ো মহারাজ না থেমেই বলেন, দক্ষিণ ভারতে মহাদেব সব চাইতে বেশি পূজিত হলেও সমগ্র ভারতবর্ষেই বোধকরি কয়েক কোটি শিবমন্দির আছে, যেখানে তিনি নিত্য পূজিত হচ্ছেন। তাছাড়া আদি শঙ্করাচার্য প্রতিষ্ঠিত হিমালয় শৃঙ্গে প্রতিষ্ঠিত কেদারনাথ-বদ্রীনাথ মন্দিরে কে না যায়? কাশীতে বাবা বিশ্বনাথের মন্দিরে সারা দেশের মানুষের ভিড় দেখে অবাক হবে।

আপনাদের এখানে তো বৌদ্ধ, শিখ, জৈন ছাড়াও অনেক খ্রিস্টানও আছেন?

নিশ্চয়ই আছেন।

বড়ো মহারাজ সঙ্গে সঙ্গেই একটু হেসে বলেন, মা, তুমি শুনে অবাক হবে, ভগবান যীশুর জন্মের আগেই বিদেশি শাসকদের অত্যাচারে জর্জরিত হয়ে প্রচুর ইহুদি নিজেদের দেশ ছেড়ে শান্তিতে জীবন কাটাবার জন্য ভারতে আসে।

সত্যি?

হ্যাঁ, মা, সত্যি। তুমি কেরলের কোচিনে গেলেই তাদের বংশধরদের দেখা পাবে।

ওরা কী করে জীবিকা নির্বাহ করে?

ওরা প্রধানত মশলার ব্যবসা করে।

এবার বড়ো মহারাজ একটু থেমে একটু হেসে বলেন, স্বামী বিবেকানন্দ শিকাগো বিশ্ব ধর্ম সম্মেলনে এই ইহুদিদের বিষয় উল্লেখ করে বলেন, পৃথিবীর যেকোনো দেশের নিপীড়িত মানুষকে ভারত মর্যাদার সঙ্গে আশ্রয় দিতে কোনোদিন দ্বিধা করেনি।

আচ্ছা মহারাজ, বুদ্ধদেব নেপালে জন্মগ্রহণ করলেও সাধনা করেন গয়ায়, সিদ্ধিলাভও সেখানেই তারপর বারাণসীর নিকটবর্তী সারনাথের হরিণদের বনে প্রথম পাঁচজন শিষ্যকে প্রথম ধর্মোপদেশ দেন। কিন্তু মহারাজ, বুদ্ধদেব তো প্রায় পঞ্চাশ বছর ভারতের শুধু উত্তর প্রদেশ আর বিহারের নানা জায়গায় কাটিয়ে দিলেন কেন?

মা, তোমার প্রশ্নের জবাব দেবার ক্ষমতা তো আমার নেই ; বিহার-উত্তর প্রদেশের কিছু জায়গার বাসিন্দাদের অশেষ সৌভাগ্য যে ভগবান বুদ্ধের পাদস্পর্শে ধন্য হয়েছে ওদের অঞ্চল।

হ্যাঁ, আপনি ঠিকই বলেছেন।

তুমি বসন্তোৎস দেখতে শান্তিনিকেতন যাবে কবে?

আমি বসন্তোৎসবের তিন দিন আগেই—মানে সামনের বুধবারই যাব।

শুনেছি, খুব ভিড় হয় ; দু-তিন দিন আগে যাওয়াই ভালো।

অ্যাঞ্জেলিনা একটু হেসে বলে আপনাদের লাইব্রেরিতে শান্তিনিকেতন সম্পর্কে দু-তিনটি বই নিয়ে বসেছি দেখেই হঠাৎ একটি মেয়ে আমাকে জিজ্ঞেস করে, আমি শান্তিনিকেতন সম্পর্কে এত আগ্রহী কেন।

তারপর?

আমি শান্তিনিকেতন যাবার কারণ বলতেই জানতে পারি, উনি ওখানকার সংগীত ভবনের প্রাক্তন ছাত্রী।

আচ্ছা।

উনি বললেন, ওরা কজন পুরোনো বন্ধু বুধবার শান্তিনিকেতন এক্সপ্রেসে যাবেন বলে আমিও...

খুব ভালো করেছ।

বুধবার শান্তিনিকেতন এক্সপ্রেসের এয়ার-কন্ডিশনড্ চেয়ারকারে উঠেই অ্যাঞ্জেলিনা অবাক। নানা বয়সের নারী-পুরুষের ভিড়। সবার চোখে-মুখে হাসি। তাছাড়া অনেকেই অনেকের পরিচিত। প্রত্যেকেই অত্যন্ত রুচিসম্পন্ন পোশাক পরেছেন। সব মিলিয়ে মনে হচ্ছে, এরা সবাই চলেছেন, একই আনন্দোৎসবে যোগ দিতে।

অ্যাঞ্জেলিনার মন খুশিতে ভরে যায়।

শ্রীতমা ওকে দেখেই একগাল হেসে বলে, অ্যাঞ্জেলিনা, তুমি এসে গিয়েছ?

কী করব বলো? তোমাকে রিসিভ করতে হবে না?

অ্যাঞ্জেলিনা হাসতে হাসতে বলে।

শ্রীতমা হো-হো করে হেসে উঠে বলে, তুমি ফার্স্ট ওভারের ফার্স্ট বলেই আমাকে আউট করে দিলেন।

ও সঙ্গে সঙ্গে বলে, আমার বন্ধুদের সঙ্গে পরিচয় করিয়ে দিই। হ্যাঁ, এই হচ্ছে অর্পিতা, এ সায়নী আর এ হচ্ছে শতব্রত।

অ্যাঞ্জেলিনা একটু হেসে বলে, শান্তিনিকেতনে গিয়ে ভালো করে আলাপ হবে।

ওরা তিনজনে একসঙ্গে বলে, হ্যাঁ, নিশ্চয়ই।

শ্রীতমা একটু হেসে বলে, অ্যাঞ্জেলিনা, বি কেয়াফুল, যেকোনো নতুন মেয়ের সঙ্গে আলাপ হলেই শতব্রত প্রেমে পড়ে।

শতব্রত বলে, এরা তিনজনেই আমাকে নিয়ে পাগল। তাই সন্দেহ করে...

হঠাৎ কে যেন বেশ গলা চড়িয়ে বলে, এই শ্রীতমা, তুইও আজ যাচ্ছিস?

শ্রীতমা ঘাড় ঘুরিয়ে ওকে একঝলক দেখেই হাসতে হাসতে বলে, ও মাই গড! শ্যামলীদি?

আজ্ঞে হ্যাঁ।

দেবুদা কোথায়?

তুই জানিস না, ও ঘণ্টাখানেকের বেশি আমাকে না দেখে থাকতে পারে না?

দেবুদা গলা চড়িয়ে বলে, শ্রীতমা এই অবোধ শিশুর কথায় কিছু মনে করিস না।

কী আশ্চর্য! এরা নিজেদের নিয়ে এমনই মশগুল যে কেউই খেয়াল করেনি গাড়ি বেশ কিছুক্ষণ আগেই ছেড়ে দিয়েছে। দেখতে দেখতে বেলুড়-বালি ছাড়িয়ে ট্রেন ছুটছে ডানকুনির দিকে।

হঠাৎ দেবু আর শ্যামলী গলা চড়িয়ে গাইতে শুরু করে —

ওরে গৃহবাসী।
খোল দ্বার খোল
লাগল যে দোল...

মুহূর্তের মধ্যে দুদিকের সিটের মাঝখানেই নাচতে শুরু করে শ্রীতমা আর সায়নী।

স্থলে জলে বনতলে
লাগল যে দোল।
দ্বার খোল, দ্বার খোল॥...

হঠাৎ মানসী আর চন্দনা নাচতে নাচতে গাইতে শুরু করে —

রাঙা হাসি রাশি রাশি
অশোকে পলাশে
রাঙা নেশা মেঘে মেশা
প্রভাত-আকাশে
নবীন পাতায় লাগে
রাঙা হিল্লোল।
খোল দ্বার খোল ওরে গৃহবাসী।...

মানসী আর চন্দনা মুহূর্তের জন্য থামতেই শ্রীতমা-সায়নীর সঙ্গে অর্পিতা আর শতব্রত নাচতে শুরু করতেই দেবু আর শ্যামলী গাইতে শুরু করে —

বেণুবন মর্মরে দখিন বাতাসে
প্রজাপতি দোলে ঘাসে ঘাসে
মউমাছি ফিরে যাচি ফুলের দখিনা,
পাখায় বাজায় তার ভিখারির বীণা,
মাধবীবিতানে বায়ু গঞ্জে বিভোল
দ্বার খোল, দ্বার খোল।
ওরে গৃহবাসী।

কামরার সব যাত্রীরা হাততালি দিয়ে অভিনন্দন জানান সব শিল্পীদের।

হাততালি থামতেই একজন প্রবীণা মহিলা উঠে দাঁড়িয়ে হাসতে হাসতে বলেন, হ্যাঁ রে, দেবু আর শ্যামলী, তোরা প্রেম করে ভাসিয়ে রেখেছিলি

শান্তিনিকেতন। তোরা কি প্রেম পর্যায়ের একটা গানও শোনাবি না?

শ্যামলী একটু হেসে বলে, গায়ত্রীদি, কোনোদিন তোমার অবাধ্য হইনি, ভবিষ্যতেও হব না। ও সঙ্গে সঙ্গে শুরু করে—

আমি রূপে তোমায় ভোলাব না।
ভালোবাসায় ভোলাব।
আমি হাত দিয়ে দ্বার খুলব না গো,
গান গেয়ে দ্বার খোলাব।...

এবার দেবু গেয়ে ওঠে—

ভরাব না ভূষণভারে
সাজাব না ফুলের হারে
সোহাগ আমার মালা করে
গলায় তোমার দোলাব॥

এবার ওরা দ্বৈত কণ্ঠে গেয়ে ওঠে—

জানবে না কেউ কোন্ তুফানে
তরঙ্গদল নাচবে প্রাণে।
চাঁদের মতন অলখ টানে
জোয়ারে ঢেউ তোলাব॥
আমি রূপে তোমায় ভোলাব না
ভালোবাসায় ভোলাব।

আবার সব যাত্রী হাসতে হাসতে হাততালি দেন।

শান্তিনিকেতন এক্সপ্রেস প্রায় অর্ধেক পথ অতিক্রম করে এল বর্ধমান।

গাড়ি থামতেই-না-থামতেই হরেকরকম খাবার-দাবার বিক্রি করার জন্য একদল হকার গাড়িতে উঠতেই অ্যাঞ্জেলিনা চমকে ওঠে ; তবে দু-এক মিনিটের বিরতির পরই ট্রেন চলতে শুরু করার সঙ্গে সঙ্গে হুড়মুড় করে সব হকার নেমে যায়।

এবার আবির্ভাব মশলা মুড়ি বিক্রেতার।

শ্রীতমা অ্যাঞ্জেলিনার পাশে বসেই বলে, আমরা সবাই মশলা মুড়ি

খাব ; তুমি খাবে তো?

তোমরা খেলে আমিও খাব।

শ্রীতমা সঙ্গে সঙ্গে চারজনের মুড়ির অর্ডার দেয়।

মশলা মুড়ির অর্ডার হয় আরও অনেকের।

ইতিমধ্যে আরও একজন মশলা মুড়ি বিক্রেতা হাজির হতেই একদল যাত্রী তাকে মুড়ি দিতে বলে।

মশলা মুড়ি খেতে খেতেই অ্যাঞ্জেলিনা একটু হেসে বলে, শ্রীতমা বাঙালিরা বুঝি মুড়ি খুব ভালোবাসে?

মধ্যবিত্ত ও নিম্নবিত্ত বাঙালিদের প্রিয় স্ন্যাকস্ হচ্ছে মুড়ি, কিন্তু শান্তিনিকেতন আসা-যাওয়ার পথে বহু ধনীরাও মুড়ি...

আচ্ছা?

হ্যাঁ, বোধ হয় পরিবেশ ওদের মুড়ি খেতে উৎসাহ দেয়।

দু-এক মিনিট চুপ করে থাকার পরই অ্যাঞ্জেলিনা বলে, আর একটা কথা জানতে চাই তোমার কাছে।

হ্যাঁ, বলো, কী জানতে চাও।

এই ট্রেনযাত্রার সামান্য সময়েই মনে হচ্ছে, তোমরা সবাই সবাইকে চেনো, তাই কি?

শ্রীতমা একগাল হেসে বলে, হ্যাঁ, তুমি যা ভেবেছ, তা অনেকটাই সত্যি। তার প্রথম কারণ, বিশ্বভারতী প্রধানত রেসিডেন্সিয়াল ইউনিভার্সিটি। ওখানে সবাইকেই কয়েকটা বছর থাকতে হয় ; তাই প্রায় সবার সঙ্গেই মুখ চেনা হয়ে যায়।

অ্যাঞ্জেলিনা সম্মনিতে মাথা নাড়ে।

তাছাড়া কখনো ক্যান্টিনে বা ডাইনিং হলে, কখনো নানা অনুষ্ঠানের সময় এখানে-ওখানে আড্ডা দেবার সময় বা দোকানে-বাজারে নিয়মিত দেখা হতে হতে পরিচিতির গণ্ডি ছড়িয়ে পড়ে।

হ্যাঁ, তা তো হবেই।

শ্রীতমা বলে, আরও একটা ব্যাপার আছে।

কী ব্যাপার?

সর্বোপরি আছে, শান্তিনিকেতন ঘরানা বা ফ্রাটারনিটি খুবই গুরুত্বপূর্ণ

প্রত্যেক ছাত্র-ছাত্রীর জীবনে।

সে তো খুবই ভালো।

আবার একটু নীরবতা।

আচ্ছা শ্রীতমা, তোমরা কোথায় থাকবে?

আমরা পূর্বপল্লি গেস্ট হাউসে থাকব।

ও সঙ্গে সঙ্গে জিজ্ঞেস করে, তুমি কোথায় থাকবে, তা কি ঠিক করা আছে।

অ্যাঞ্জেলিনা সলজ্জ হাসি হেসে বলে, আমি তোমাদের দেশে এসেছি ভারত সরকারের আমন্ত্রণে...

ওকে কথাটা শেষ করতে না দিয়েই শ্রীতমা একগাল হেসে বলে, ও মাই গড! তাহলে তুমি তো ভি. আই. পি!

না, না, ওকথা বলো না। আমি সাধারণ মানুষের মতোই ঘুরেফিরে তোমাদের দেশ দেখব ; ফাইভ স্টার হোটেলের আইভরি টাওয়ারে থেকে স্ফূর্তি করে চলে যাব না।

শ্রীতমা ওর একটা হাত চেপে ধরে বলে, না, না, আমি তা বলতে চাইনি। তুমি যেভাবে আমাদের সঙ্গে বন্ধুর মতো মিশেছ, তা দেখেই বুঝেছি, তুমি সত্যি নিরহঙ্কারী উদার মনের মেয়ে।

ও প্রায় না থেমেই বলে, আমার মনে হয়, বিশ্বভারতী কর্তৃপক্ষ তোমাকে 'রতন কুঠি'তে রাখবেন।

ওখান থেকে তোমাদের গেস্ট হাউস কি অনেক দূর?

শ্রীতমা একটু হেসে বলে, শান্তিনিকেতনে কোনোকিছুই দূরে না।

তাহলে আর চিন্তা কী? হরদম আমাদের দেখা হবে।

ভালো কথা, স্টেশনে কে তোমাকে নিতে আসবেন?

বিশ্বভারতী থেকে কে আসবেন, তা জানি না ; তবে স্বপন ঘোষ নামে একজন সাংবাদিক-লেখক আসবেন, তা জানি।

শ্রীতমা হাসতে হাসতে বলে, তুমি স্বপনদাকে চিনলে কী করে?

আমার সঙ্গে ওর পরিচয় হয়নি, তবে লন্ডন ইউনিভার্সিটির একজন অধ্যাপক থেকে শুরু করে কলকাতার অনেকের কাছেই শুনেছি, উনি সবাইকে সাহায্য করেন।

স্বপনদার মতো এমন পরোপকারী মানুষ সত্যি দুর্লভ।

তুমি স্বপন ঘোষকে চেনো?

শ্রীতমা আবার হেসে বলে, শান্তিনিকেতনে পড়াশুনা বা চাকরি-বাকরি করেছে, তাদের প্রত্যেকেই স্বপনদাকে শুধু চেনে না, তাঁকে যথেষ্ট শ্রদ্ধাও করে। কোনো-না-কোনো ব্যাপারে প্রত্যেককেই স্বপনদার সাহায্য নিতে হয় ; সত্যি কথা বলতে কী, মানুষকে সাহায্য করতে ওর কোনো দ্বিধাও নেই, ক্লান্তিও নেই।

অ্যাঞ্জেলিনা একটা চাপা দীর্ঘশ্বাস ফেলে বলে, শ্রীতমা, তোমার কথা শুনে খুব ভালো লাগল। বর্তমান যুগে মানুষ যেমন আত্মকেন্দ্রিক, সেইরকমই স্বার্থপর হয়েছে ; সেই সময় স্বপনদার মতো উদার মহৎ মানুষের দেখা পাব ভেবে খুব ভালো লাগছে।

হঠাৎ যাত্রীদের চাঞ্চল্য দেখেই ও বলে, আমরা কি এসে গেছি?

শ্রীতমা একগাল হেসে বলে, হ্যাঁ, ট্রেন স্টেশনে ঢুকছে।

ট্রেন থেকে নামতে-না-নামতেই যাত্রীদের সে কী উল্লাস, সে কী উন্মাদনা। কত ছেলেমেয়ে চিৎকার করল, এই শ্রীতমা! শ্রীতমাদি!

আবার অনেকে গলা চড়িয়ে ডাকছে অর্পিতা, সায়নী, শতব্রতকে। কতজনে ছুটে এসে জড়িয়ে ধরল শ্যামলী, দেবু আর অন্য কত যাত্রীকে।

এক্সকিউজ মি, আপনি কি মিস ফস্টার?

অ্যাঞ্জেলিনা দু-হাত জোড় করে হাসতে হাসতে বলে, হ্যাঁ, আমি মিস ফস্টার।

আমি বিশ্বভারতীর পাবলিক রিলেশন্স ডিপার্টমেন্ট থেকে আসছি। আর, হ্যাঁ, ইনি স্বপন ঘোষ।

স্বপন আর অ্যাঞ্জেলিনা দুজনেই হাত জোড় করে নমস্কার করে।

অ্যাঞ্জেলিনা সঙ্গে সঙ্গে একগাল হেসে বলে, স্বপনদা, কতজনে যে আপনার প্রশংসা করেছেন, তা ভাবতে পারবেন না।

স্বপন প্রসন্ন হাসি হেসে বলে, কিছু মানুষ আমাকে স্নেহ করেন, ভালোবাসেন, তাই...

ওর কথার মাঝখানেই অ্যাঞ্জেলিনা বলে, না, না, স্বপনদা, কিছু মানুষ

না, এই ট্রেনে আসতে আসতেই তো মনে হল, ট্রেনের অন্তত অর্ধেক প্যাসেঞ্জারই...

আচ্ছা এখন চলুন তো!

বিশ্বভারতীর গাড়িতে ওঠার সময় একটু দূরে সায়নীকে দেখে অ্যাঞ্জেলিনা গলা চড়িয়ে বলে, সায়নী, বন্ধুদের পাল্লায় পড়ে আমাকে ভুলে যেও না।

সায়নী একগাল হেসে প্রায় চিৎকার করে বলে, কভি নেহি।

রতন কুঠি মাত্র ছখানা ঘরের অর্ধ গোলাকৃতি অতিথিশালা কিন্তু তার দশগুণ জায়গায় গাছগাছালি আর ফুলের বাগান দেখে মুগ্ধ হয় অ্যাঞ্জেলিনা।

সত্যি অপূর্ব!

কী অপূর্ব?

জন সংযোগ দপ্তরের প্রতিনিধি প্রশ্ন করেন।

এই এত গাছপালা বাগান আর খোলামেলা পরিবেশ সব মিলিয়ে সত্যি খুব ভালো লাগছে। টেগোরের মতো কবি-শিল্পী ছাড়া এইরকম পরিবেশে শিক্ষাপ্রতিষ্ঠান গড়ার কথা কেউ ভাবতেই পারবেন না।

আপনি ঠিক বলেছেন।

উনি সঙ্গে সঙ্গে বলেন, এখানে সবকিছু বলা আছে ; আশা করি আপনার কোনো অসুবিধে হবে না। তবুও যখনই প্রয়োজন হবে টেলিফোন করবেন আমাদের ডিপার্টমেন্টে।

দরকার হলে তো টেলিফোন করতেই হবে।

এবার ওই ভদ্রলোক বলেন, স্বপনদা, যখনই আপনি মিস ফস্টারকে নিয়ে কোথাও যাবার প্রোগ্রাম করবেন, গাড়ি পাঠাতে বলবেন ; ওদের সব বলা আছে।

হ্যাঁ, নিশ্চয়ই বলব।

ভদ্রলোক চলে যেতেই স্বপন বলে, অ্যাঞ্জেলিনা, চা খাবে?

হ্যাঁ, দাদা, খেতে পারি।

স্বপন ভিতরে গিয়ে চায়ের অর্ডার দিয়ে আসার পর বলে, চলো, আমরা বারান্দায় বসে চা খেতে খেতে কথা বলি।

হ্যাঁ, হ্যাঁ, সেই ভালো।

ওরা দুজনেই বারান্দার ধারের নিচু বসার জায়গায় বসে কথা বলে।

স্বপন বলে, আমার মনে হয়, সবার আগে তুমি যদি একবার পুরো শান্তিনিকেতন এলাকা দেখে নাও, তাহলে ভালো হয়।

হ্যাঁ, দাদা, খুবই ভালো হয়।

তুমি খেয়েদেয়ে কিছুক্ষণ বিশ্রাম নেবার পর কখন বেরুতে পারবে?

অ্যাঞ্জেলিনা একটু হেসে বলে, দাদা, লাঞ্চের পর বিশ্রাম নেবার বিশেষ অভ্যাস নেই ; আপনি বলুন, কখন বেরুতে হবে।

আমি চারটের সময় আসব ঠিক আছে তো?

হ্যাঁ, দাদা, ঠিক আছে।

আর একটা বলে দিই ; আমরা হেঁটে হেঁটেই ঘুরব, তা না হলে তুমি সবকিছু ভালো করে দেখতে পাবে না।

হ্যাঁ, হ্যাঁ, হেঁটেই দেখব।

উপাসনা মন্দির, পুরোনো শান্তিনিকেতন বাড়ি, ছুটি বলে রবীন্দ্র ভবনের সংগ্রহশালা দেখা না হলেও পুরো চত্বর ঘুরে দেখতে পায় কবির বিভিন্ন বাড়ি দেখে মুগ্ধ হয় অ্যাঞ্জেলিনা। তারপর দেখে সংগীত ভবন, কলা ভবন ইত্যাদি দেখে যায় চীনা ভবনে।

স্বপনদা, চীনা ভবনে কী হত?

চীনের শিল্প-সাহিত্য-সংস্কৃতি বিষয়ে পড়াশুনা আর গবেষণা হত।

কবির দূরদৃষ্টি দেখে সত্যি অবাক হতে হয়। কত বছর আগেই উনি বুঝেছিলেন, চীনকে ভালোভাবে জানতে হবে।

অ্যাঞ্জেলিনা না থেমেই বলে, জানেন স্বপনদা, পাশ্চাত্য জগতে চীন সম্পর্কে বিশেষ আগ্রহ সৃষ্টি হয়, কোরিয়া, ভিয়েতনাম, লাওস, কাম্বোডিয়ার মতন দেশের ঘটনাবলি দেখে...

চিয়াং কাইশেকের পরাজয়ের পর থেকেই বোধ হয় চীনের দিকে প্রথম দৃষ্টি দেয় সারা পৃথিবী।

হ্যাঁ, ঠিকই বলেছেন, কিন্তু রবীন্দ্রনাথ তো তার বহু আগে থেকেই চীন নিয়ে পড়াশুনা-গবেষণা শুরু করেন এখানে।

হ্যাঁ, সে বিষয়ে কোনো সন্দেহ নেই।

এদিকে সূর্য ঢলে পড়তে-না-পড়তেই আম্রকুঞ্জে আর ফাঁকা মাঠের এখানে-ওখানে জমে উঠেছে নানা বয়সের ছেলেমেয়েদের জটলা। কোথাও কোথাও হাসি-ঠাট্টার মাঝখানেই হঠাৎ একটি মেয়ে গেয়ে ওঠে—

আমার অঙ্গে অঙ্গে কে বাজায়,
বাজায় বাঁশি...

মুহূর্তের মধ্যে অন্য একটি মেয়ে নাচতে শুরু করে। শুরু হয় গানও—

আমার অঙ্গে অঙ্গে কে বাজায়
বাজায় বাঁশি
আনন্দে বিষাদে মন উদাসী।
পুষ্পবিকাশের সুরে
দেহ মনে উঠে পুরে
কী মাধবীসুগন্ধ বাতাসে যায় ভাসি।
সহসা মনে জাগে আশা,
মোহ আহুতি পেয়েছে অগ্নির ভাষা।...

কিছুটা দূরের আরেকটি জটলা থেকে হঠাৎ একটি ছেলে গলা ছেড়ে গেয়ে উঠে নাচতে শুরু করে—

এ কী খেলা হে সুন্দরী
কিসের এ কৌতুক
দাও অপমান দুখ, কেন দাও অপমানদুখ—
মোরে নিয়ে কেন,
কেন কেন এ কৌতুক।

সঙ্গে সঙ্গে একটি মেয়ে নাচতে শুরু করতেই অন্য একটি মেয়ে গাইতে শুরু করে—

নহে নহে, এ নহে কৌতুক
মোর অঙ্গের স্বর্ন-অলঙ্কার
সঁপি দিয়া শৃঙ্খল তোমায়
নিতে পারি নিজ দেহে

তব অপমানে মোর
অন্তবাত্মা আজি অপমান মানে।...

অ্যাঞ্জেলিনা একগাল হেসে বলে, সত্যি স্বপনদা, আপনাদের শান্তিনিকেতনের পরিবেশ দেখে আমি অবাক হচ্ছি। সত্যি, এইসব দেখে-শুনে মন অন্য জগতে চলে যায়।

স্বপন একটু হেসে বলে, রবীন্দ্রনাথ বিশ্বাস করতেন, মানুষ প্রকৃতির যত বেশি সান্নিধ্যে থাকবে, সে তত তুচ্ছতা মুক্ত হয়ে আনন্দে থাকবে। এখানে এসে তা অনুভব করতে পারছি।

ওরা দুজনে আর একটু এগুতেই শ্রীতমারা হইহই করে ছুটে এসে অ্যাঞ্জেলিনাকে জড়িয়ে ধরে।

সায়নী একটা ঠোঙা এগিয়ে ধরে বলে, নাও, মুড়ি খাও।

শতব্রত ঠোঙা থেকে একটা বেগুনি বের করে এগিয়ে ধরে হাসতে হাসতে বলে, এটা খেলে শরীরের ক্ষতি হয় কিন্তু মন সতেজ হয়। তাছাড়া হুইস্কির সঙ্গে সোডার মতো মুড়ির সঙ্গে তেলেভাজা খেতেই হয়। মাস্ট! মাস্ট! মাস্ট!

অর্পিতা একটু হেসে বলে, হ্যাঁরে সায়নী, শতব্রত, তোরা কী ভেবেছিস স্বপনদার আজ একাদশী!

স্বপন যথারীতি খুশির হাসি হেসে বলে, তোরা খা, আমি এখন কিছুই খাব না।

শ্রীতমা হাসতে হাসতে বলে, স্বপনদা, কাল-পরশু তোমার ছুটি ; বসন্তোৎসবের পরদিন সকালে আবার নতুন খুকির দয়িত্ব নিও। এই দুদিন নতুন খুকি আমাদের সঙ্গেই থাকবে।

দেখিস, ওর যেন কোনো অসুবিধা না হয় ; ভুলে যাস না, ও ভারত সরকারের অতিথি।

শতব্রত সঙ্গে সঙ্গে বলে ওরে, আমাদের ভোটেই তো সরকার হয়েছে ; অত চিন্তার কী আছে?

সবাই হো-হো করে হেসে ওঠে।

অ্যাঞ্জেলিনা বলে, স্বপনদা, আপনি চিন্তা করবেন না, আমি ভালোই থাকব।

ঠিক আছে, তাহলে আমি আসি।

হ্যাঁ, আসুন।

শান্তিনিকেতন তখন লোকে লোকারণ্য। বসন্তোৎসব আর পৌষমেলার সময় হাজার হাজার প্রাক্তন ছাত্র-ছাত্রী — তাদের মধ্যে অনেকেই সপরিবারে — ছাড়াও কলকাতা ও অন্যান্য জায়গা থেকে বোধ করি লাখ খানেক লোকের ভিড় হয়। তাইতো বসন্তোৎসবের ভিড়ের মধ্যে স্বপন অ্যাঞ্জেলিনাকে খুঁজে দেখার চেষ্টা করে না। তাছাড়া ও জানে, শ্রীতমারা ওকে ভালোই রেখেছে, আনন্দেও রেখেছে। শান্তিনিকেতনের ছাত্র-ছাত্রীদের আর কোনো গুণ না থাকলেও তারা অপরিচিতকে ভালোবাসতে পারে, আপন করে নিতে পারে।

যাইহোক বসন্তোৎসবের পর স্বপনকে দেখেই অ্যাঞ্জেলিনা একগাল হেসে বলে, দাদা, বিশ্বাস করুন, দুটো দিন স্বপ্নের মতো কেটেছে। কী আনন্দে ছিলাম, তা বলার ক্ষমতা আমার নেই।

স্বপনও একটু হেসে বলে, তোমার কথা শুনে ভালো লাগছে।

আপনি ভাবতে পারেন, ওদের পাল্লায় পড়ে আমকে নাচতে হয়েছে, গাইতে হয়েছে। সত্যি কথা বলতে কী ওদের সঙ্গে থাকতে থাকতে মনে হচ্ছিল, আমিও ওদেরই মতো সংগীত ভবনের প্রাক্তন ছাত্রী।

মোট কথা, দুটো দিন তোমার ভালো কেটেছে জেনে ভালোই লাগছে।

দাদা, আপনি কি জানেন, শতব্রতর মা-বাবা নেই, ওর পিসি ওকে মানুষ করেছেন।

হ্যাঁ, জানি কিন্তু ওর পিসির সঙ্গে আমার আলাপ হয়নি।

অ্যাঞ্জেলিনা চোখ দুটো বড়ো বড়ো করে বলে, শতব্রত, ওর পিসির চোখের মণি। উনি শতব্রতকে যে কী ভালোবাসেন, তা না দেখলে বিশ্বাস করা যায় না।

আচ্ছা!

পিসি কলেজের লেকচারার। শতব্রতকে মানুষ করার জন্যই উনি বিয়েও করলেন না। উনি হাসতে হাসতে আমাকে বললেন, বিয়ে করলে তো ছেলেমেয়েকে নিয়েই জীবন কাটাতাম। বিয়ে না করেই তো বাবাসোনাকে পেয়ে গেলাম ; তাই আর বিয়ে করার দরকারই হল না।

অ্যাঞ্জেলিনা, শুধু গর্ভে ধারণ করলেই তো মা হওয়া যায় না।

অ্যাঞ্জেলিনা একগাল হেসে বলে, দাদা, তার জ্বলন্ত উদাহরণ হচ্ছেন মা সারদা, তাই না?

হ্যাঁ, ঠিক বলেছ।

মা ঠাকুরকে বলেছিলেন, আমি মা হব না? ঠাকুর হাসতে হাসতে বলেছিলেন, তোমার এত ছেলেমেয়ে হবে যে তাদের মা মা ডাক শুনে তুমি পাগল হয়ে যাবে।

ও মুহূর্তের জন্য থেমে বলে, দাদা, সত্যি কথা বলতে কী, শুধু আপনাদের দেশেই মা সারদা সম্ভব, অন্য কোনো দেশে আর একটা মা সারদা পাওয়া কল্পনাতীত।

একটু চুপ করে থাকার পর স্বপন বলে, এখান থেকে তুমি তো কলকাতা ফিরে যাবে, তাইতো?

হ্যাঁ, দাদা।

এরপর কোথায় যাবে?

দাদা, কাশী যাব।

খুব ভালো।

হাজার হোক পৃথিবীর প্রাচীনতম শহর ; তাছাড়া বাবা বিশ্বনাথের বাস যে শহরে, সেখানে তো যেতেই হবে।

হ্যাঁ, হ্যাঁ যাও।

তিন

কলকাতায় ফিরতেই বড়ো মহারাজ বললেন, হ্যাঁ, মা, কেমন দেখলে বসন্তোৎসব?

অসম্ভব ভালো।

অসম্ভব ভালো মানে? কী ভালো, কেন ভালো...

বলছি।

অ্যাঞ্জেলিনা একবার নিশ্বাস নিয়েই বলে, রবন্দ্রীনাথ যেভাবে ঋতুরাজ বসন্তকে বন্দনা করেছেন, তা আমাদের চিন্তার বাইরে। একে গানের দ্বারা বসন্ত-বন্দনা, তার সঙ্গে অপূর্ব নৃত্যের দ্বারা তাকে মূর্ত করে যে পরিবেশ, যে আনন্দ সৃষ্টি করেছেন, তা সত্যি অতুলনীয়।

রবীন্দ্রনাথ ছিলেন প্রকৃতি পূজারী। উনি প্রকৃতির রূপ, রস, গন্ধ, মাধুর্য তো দূরের কথা, প্রকৃতির ভয়ংকর রূপ, রুদ্র রূপকেও বন্দনা করেছেন।

তাই নাকি?

হ্যাঁ।

বড়ো মহারাজ মুহূর্তের জন্য থেমে বলেন, আমাদের দেশে গ্রীষ্ম আর বর্ষার কোনো কোনো সময় সত্যি ভয়ংকর কিন্তু রবীন্দ্রনাথ সেই ভয়ংকর রূপের বন্দনা করেও অনেক গান সৃষ্টি করেছেন।

সত্যি ভাবলে অবাক হতে হয়।

ও সঙ্গে সঙ্গে বলে, শুনলাম, রবীন্দ্রনাথ বর্ষাকেও খুবই ভালোবাসতেন আর বর্ষা নিয়ে বহু গান লিখেছেন।

হ্যাঁ, মা, বর্ষা সত্যি খুবই প্রিয় ছিল রবীন্দ্রনাথের।

কিন্তু কেন?

বর্ষায় মা ধরিত্রী গর্ভবতী হন, যেমন আমাদের মায়েরা গর্ভবতী না

হলে সন্তানের জন্ম হয় না, ঠিক সেইরকমই ধরিত্রী গর্ভবতী না হলে নানা ধরনের শস্য আর ফুল-ফল শাক-সবজি...

অ্যাঞ্জেলিনা একগাল হেসে বলে, হ্যাঁ, মহারাজ, বুঝেছি।

এবার বড়ো মহারাজ একটু হেসে বলেন, মা, কিছু মনে কোরো না, তবু বলছি।

হ্যাঁ, হ্যাঁ, বলুন।

অন্য কোনো ধর্ম-সংস্কৃতির সঙ্গে প্রকৃতির কোনো সম্পর্ক না থাকলেও আমাদের ধর্ম-সংস্কৃতিতে প্রতি পদে প্রকৃতির বিশেষ ভূমিকা আছে।

যেমন?

বলছি।

অ্যাঞ্জেলিনা অপলক দৃষ্টিতে মহারাজের দিকে তাকিয়ে থাকে।

আমাদের দেশের বহু মেয়েরা বছরের বিশেষ বিশেষ দিনে নানা কারণে ব্রত পালন করে এবং এইসব ব্রত পালনের জন্যও প্রয়োজন হয় লতা বা গাছের পাতা।

উনি একটু থেমে বলেন, আমাদের বিভিন্ন ধর্মীয় উৎসবে নানা ধরনের ফুল-বেলপাতা ছাড়াও বহু গাছের বিশেষ ভূমিকা আছে। সেইসঙ্গে বলব, প্রত্যেক দেব ও দেবীর সঙ্গে জড়িয়ে আছে কোনো না কোনো জন্তু।

এবার উনি একগাল হেসে বলেন, আমরা শুধু দেব-দেবীর আরাধনা করি না, রীতিমতো পুজো করি ওইসব গাছপালা আর জন্তুদের।

অ্যাঞ্জেলিনা বলে, আপনাদের ধর্ম-সংস্কৃতি সম্পর্কে যত জানছি, তত অবাক হচ্ছি। সত্যি কত উদার আপনাদের ধর্ম-সংস্কৃতি।

বড়ো মহারাজ একটু হেসে বলেন, তুমি আমাদের দেশ আরও কিছুদিন দেখ, আরও কিছু জানো, অনুভব করো, তারপর আমাদের ধর্মের উদারতার কথা বলব।

উনি মুহূর্তের জন্য থেমেই বলেন, এবার কোথায় যাবার কথা ভেবেছ?

ভাবছি, কাশী গিয়ে কিছুদিন থাকব।

খুব ভালো ; তবে আমার মনে হয় কাশী যাবার পথে পাটনা ঘুরে যাও।

পাটনা কেন?

পাটনার কাছেই রাজগীর আর নালন্দা। এই দুটি জায়গার সঙ্গেই ভগবান

বুদ্ধের স্মৃতি জড়িয়ে আছে।

বড়ো মহারাজ না থেমেই বলেন, বৌদ্ধ ধর্মের মতো অত জনপ্রিয় না হলেও জৈন ধর্মের প্রবর্তক মহাবীরও বহু বর্ষাকাল কাটিয়েছেন নালন্দায়। তাই বলছি, তুমি এই দুটি জায়গা দেখে কাশী যাও।

হ্যাঁ, মহারাজ, আমি নিশ্চয়ই পাটনায় দু-একদিন কাটিয়েই কাশী যাব। আপনি দয়া করে আমাকে বলবেন, কোথায় কোথায় যাওয়া আমার উচিত।

হ্যাঁ, হ্যাঁ, বলব।

পাটনা থেকে রাজগীর মাত্র ঘণ্টা দেড়েকের পথ।

এককালে মগধ সম্রাট জরাসন্ধের রাজধানী ছিল এইখানেই ; তখন নাম ছিল গিরিব্রজ। পরবর্তীকালে এখানেই তৈরি করেন রাজগৃহ ; কালে কালে সেই রাজগৃহই হয়েছে রাজগীর।

ভারত সরকারের আর্কিওলজিক্যাল ডিপার্টমেন্টের মিঃ তেওয়ারির সঙ্গে রাজগীর পৌঁছেই অ্যাঞ্জেলিনা ওকে বলে, আসুন, দাদা, সামনের দোকানে বসে চা খাই।

আপনি ওখানে চা খাবেন?

রাস্তার পাশে অতি সামান্য চায়ের দোকানটি দেখিয়ে অবাক হয়ে প্রশ্ন করেন মিঃ তেওয়ারি।

অ্যাঞ্জেলিনা একটু হেসে বলে, কত লোকেই যখন ওখানে চা খাচ্ছে, তখন আমি খাব না কেন?

চা খেতে খেতেই অ্যাঞ্জেলিনার সঙ্গে আলাপ হয় পাটনা কলেজের ইতিহাসের প্রধান অধ্যাপক ডক্টর ত্রিবেদীর সঙ্গে।

প্রাথমিক আলাপ-পরিচয়ের পরই প্রবীণ অধ্যাপক একটু হেসে বলেন, মিস ফস্টার, এই কয়েক মিনিট আপনার সঙ্গে কথাবার্তা বলেই মনে হচ্ছে, আপনি আমাদের দেশ সম্পর্কে অনেক কিছু জানেন।

ভারতবর্ষ বিশাল দেশ, তার উপর পাঁচ হাজার বছরেরও বেশি সাংস্কৃতিক ঐতিহ্য, এই দেশকে ভালোভাবে জানতে বোধ হয় এক জন্মে সম্ভব না ; তবে হ্যাঁ, কিছু জানি বৈকি।

ও থামতেই মিঃ তেওয়ারি হাসতে হাসতে বলেন, প্রফেসর ত্রিবেদী,

আপনি জেনে খুশি হবেন যে মিস ফস্টার লন্ডনের বিশ্ববিখ্যাত স্কুল অফ্ ওরিয়েন্টাল অ্যান্ড আফ্রিকান স্টাডিজ-এ দীর্ঘ পাঁচ বছর ভারতবর্ষ নিয়ে পড়াশুনা ও গবেষণা করে আমাদের প্রধানমন্ত্রীর স্বর্ণপদক পেয়েছেন।

অধ্যাপক ত্রিবেদী চোখ দুটো বড়ো বড়ো করে বলেন, বলেন কী?

হ্যাঁ, স্যার, ঠিকই বলছি।

মিঃ তেওয়ারি না থেমেই বলেন, মিস ফস্টার বর্তমানে ভারত সরকারের অতিথি হয়ে নানা জায়গা ঘুরে দেখছেন।

অধ্যাপক ত্রিবেদী একগাল হেসে অ্যাঞ্জেলিনাকে বলেন, আপনার সঙ্গে দেখা হওয়ায় নিজেকে ভাগ্যবান মনে করছি।

দয়া করে ওই কথা বলবেন না ; হাজার হোক আমি আপনার মেয়ের মতো।

অধ্যাপক অত্যন্ত খুশি হয়ে বলেন, হ্যাঁ, তুমি সত্যি আমার মেয়ের মতো। মা, একটা কথা জিজ্ঞেস করতে পারি?

স্বচ্ছন্দে আপনি একটা কেন, দশটা কথা জিজ্ঞেস করতে পারেন। বলুন কী জানতে চান।

আমি দেখছি, পাশ্চাত্য দেশের মুষ্টিমেয় এক শ্রেণির বৃদ্ধ-বৃদ্ধারাই আমাদের দেশের ধর্ম-সংস্কৃতির ব্যাপারে আগ্রহী কিন্তু তোমার মতো অল্পবয়সি কোনো ছেলে-মেয়েকে তো...

অ্যাঞ্জেলিনা একটু হেসে বলে, আমি আমার গ্র্যান্ডমার অনুপ্রেরণাতেই ভারতবর্ষ নিয়ে পড়াশুনা বা গবেষণা করেছি।

তোমার গ্র্যান্ডমার ভারতবর্ষ সম্পর্কে এত আগ্রহের কারণ ? উনি কি এখানে জন্মেছেন?

না, না, আমার গ্র্যান্ডমা ভারতে জন্মাননি, তবে...

তবে কী?

আমাদের বংশের এক পূর্বপুরুষ ইস্ট ইন্ডিয়া কোম্পানির একেবারে প্রথম আমলে অ্যাটর্নি হিসেবে সুপ্রিম কোর্টে প্র্যাকটিস করার জন্য বহু বছর কলকাতায় ছিলেন।

অ্যাঞ্জেলিনা মুহূর্তের জন্য থেমে একটু হেসে বলে, সেইসময় যেসব ইংরেজ ভালো আয় করতেন, তাদের প্রত্যেকের সেবার জন্য ষাট-পঁয়ষট্টি

জন চাকর-বাকর, খানসামা, বাবুর্চি, মশালচি, খিদমতগার, ভিস্তি, কোচোয়ান, দারোয়ান, হেয়ার ড্রেসার, গার্ডেনার প্রভৃতি ছাড়াও বিকৃত যৌন আনন্দের জন্য দুটি 'মাগি' পুষতেন।

সরি, তুমি মাগি বললে কেন? আমরা মাগি কথাটিকে অশ্লীল বলেই মনে করি।

তখনকার দিনে সব ইংরেজরাই নেটিভ মেয়েদের মাগি বলতেন বলেই আমিও ব্যবহার করেছি।

বুঝেছি।

অধ্যাপক ত্রিবেদী বলেন, তোমাদের বংশের ওই পূর্বপুরুষও কি অন্যান্য সাহেবদের মতো ষাট-পঁয়ষট্টি জন কর্মচারী আর দুটি মাগিকে রেখেছিলেন?

অ্যাঞ্জেলিনা হাসতে হাসতে বলে, আমাদের ওই পূর্বপুরুষ শুধু দুটি মাগিকে উপভোগ করেই তৃপ্ত হতে পারেননি বলে অন্যান্য মহিলাদের সঙ্গেও...

গুড গড!

তবে আমাদের ওই পূর্বপুরুষ অ্যাটর্নি হিসেবে যথেষ্ট সুনাম অর্জন করেন ও প্রচুর অর্থ আয় করেন।

অ্যাঞ্জেলিনা সঙ্গে সঙ্গে বলে, আমার গ্র্যান্ডমা আমাকে বার বার বলেছেন, তোমার পূর্বপুরুষ ভারতবর্ষে গিয়ে যে পাপ করেছেন, তোমাকে তার প্রায়শ্চিত্ত করতে হবে দেশটির আসল রূপ দেখে ও ভালোবেসে।

অধ্যাপক ত্রিবেদী খুশির হাসি হেসে বলেন, বুঝলাম, কেন ভারতবর্ষে এসেছ। এবার বলি, রাজগীর সত্যি পুণ্যভূমি। স্বয়ং ভগবান বুদ্ধ বহুবার বর্ষাকালে এখানে থেকেছেন মাসের পর মাস। এখান থেকেই বুদ্ধদেব প্রথম ভিক্ষায় বের হন।

উনি মুহূর্তের জন্য থেমেই চোখ দুটো বড়ো বড়ো করে বলেন, ভাবতে গেলে শিউরে উঠবে যে ওই সামনের গৃহকূট পাহাড়ে উনি ওখানে দীর্ঘদিন ধরে বাস করেছেন আর এই অঞ্চলের বাসিন্দাদের দরজায় হাজির হয়ে ভিক্ষা চেয়েছেন।

হ্যাঁ, সত্যি ভাবলে শিউরে উঠতে হয়।

ভাবতে পারো, যেখানে আমরা বসে আছি বা হাঁটাহাঁটি করেছি বা

করব, তার সঙ্গে মিশে আছে ভগবান বুদ্ধের পদধূলি?

অ্যাঞ্জেলিনা মাথা দুলিয়ে বলে, সত্যি অভাবনীয়। আমার পরম সৌভাগ্য যে আমি এই পুণ্যভূমিতে আসতে পেরেছি।

অধ্যাপক ত্রিবেদী উঠে দাঁড়িয়েই বলেন, চলো, জীবক আম্রবন দেখে আসি।

জীবক আম্রবন মানে?

সম্রাট অজাতশত্রুর রাজবৈদ্য ছিলেন জীবক। একবার বুদ্ধদেব অসুস্থ হলে জীবক তাঁর চিকিৎসা করেন ওই আম বাগানে, তাই...

বুঝেছি।

অ্যাঞ্জেলিনা সঙ্গে সঙ্গে বলে, কোনো প্রাচীণ বৌদ্ধগ্রন্থে কি তার উল্লেখ আছে?

অধ্যাপক একগাল হেসে বলেন, একাধিক প্রাচীন গ্রন্থে বুদ্ধদেবের যে জীবনী লিপিবদ্ধ আছে, তাতে তাঁর অসুস্থতা ও জীবকের দ্বারা চিকিৎসার কথাও উল্লেখ করা আছে।

যে গৃহকূট পাহাড়ে ভগবান বুদ্ধদেব বাস করতেন, তারই স্মরণে জাপানিরা প্যাগোডা তৈরি করেছে, অধ্যাপকের সাহচর্যে অ্যাঞ্জেলিনা তা ঘুরে-ফিরে দেখে।

এবার চল নালন্দায়।

হ্যাঁ, হ্যাঁ, চলুন।

সপ্তম শতাব্দীর শুরুতে চীনা পর্যটক হিউয়েন সাং নালন্দা দেখে মুগ্ধ হন। তখন শীলভদ্র নামে এক বাঙালি বৌদ্ধ পণ্ডিত এই বিশ্ববিদ্যালয়ের পরিচালক ছিলেন।

অধ্যাপক না থেমেই বলেন, ভাবতে পারো, তখন এখানে দশ হাজার ছাত্র আর তাদের জন্য দু-হাজার অধ্যাপক ছিলেন।

সত্যি ভাবা যায় না।

ভাবা যায় না, এই বিশ্ববিদ্যালয় পুরোপুরি আবাসিক ছিল ; ছাত্র তো দূরের কথা, একজন অধ্যাপকও বিশ্ববিদ্যালয় এলাকার বাইরে থাকতেন না।

নালন্দা বিশ্ববিদ্যালয়ের ধ্বংসাবশেষ কে আবিষ্কার করেন?

আলেকজান্ডার কানিংহাম এই বড়গাঁও গ্রামের ধারে নালন্দার

ধ্বংসাবশেষ আবিষ্কার করেন।

এত বড়ো বিশ্ববিদ্যালয় ধ্বংস হল কীভাবে?

উদ্ধার করা জিনিসপত্র ঘরবাড়ির পরীক্ষা করে জানা গিয়েছে যে এক বিধ্বংসী অগ্নিকাণ্ডেই বিশ্ববিদ্যালয় ধ্বংস হয়।

এবার কোথায় যাব?

পাওয়াপুরী।

ওখানে কেন?

প্রবীণ অধ্যাপক বলেন, বৌদ্ধ ধর্মের মতোই আরেকটি ধর্ম হচ্ছে জৈন ; তবে এর প্রভাব শুধু আমাদের দেশের কিছু মানুষের মধ্যে। এই জৈন ধর্মের প্রবর্তক মহাবীর পাওয়াপুরীতেই মহানির্বাণ লাভ করেন ও ওখানেই তাঁর শেষকৃত্য সম্পন্ন হয়। তাইতো জৈন সম্প্রদায়ের কাছে পাওয়াপুরী পবিত্র তীর্থ।

যাইহোক জল মন্দির ও থল মন্দির দেখে অ্যাঞ্জেলিনা মুগ্ধ না হয়ে পারে না। জল মন্দিরে মহাবীরের পদচিহ্ন দর্শন করে পুণ্যকামী জৈনদের প্রণাম করতে দেখে অ্যাঞ্জেলিনাও প্রণাম করে।

এবার অধ্যাপক ত্রিবেদী বলেন, অনেকে বলেন, হিন্দু ক্যালেন্ডারের কার্তিক মাসের অমাবস্যায় মহাবীরের জন্ম হয়, আবার অনেকে বলেন, সেদিন উনি মহানির্বাণ লাভ করেন। সে যাইহোক, সেইসময় এখানে বিরাট উৎসব হয় ও দেশ-বিদেশ থেকে অসংখ্য জৈন এখানে আসেন।

যদি পারি, ভবিষ্যতে ওই উৎসব দেখতে আসব।

হ্যাঁ, এসো, বোধ হয় তোমার ভালো লাগবে।

উনি সঙ্গে সঙ্গেই বলেন, এখান থেকে তুমি কোথায় যাবে?

কাশী, বারাণসী।

খুব ভালো।

কাশী! বারাণসী!

বরুণ আর অসির সঙ্গমস্থল বলেই তো বারাণসী।

ট্রেন থেকে নেমে প্ল্যাটফর্মে পা দিতে-না-দিতেই ভারত সরকারের পর্যটন বিভাগের স্থানীয় প্রতিনিধি মিঃ মিশ্র দু-হাত জোড় করে ওকে

নমস্কার করে হাসতে হাসতে বলেন, পৃথিবীর প্রাচীনতম শহরে নবীনতম অতিথিকে অভ্যর্থনা জানাই।

ধন্যবাদ।

এবার মিঃ মিশ্র ওর সঙ্গিনীকে দেখিয়ে বলেন, মিস ফস্টার ইনি মিস চ্যাটার্জি। ইতিহাস ও পুরাতত্ত্ব বিষয়ে মাস্টার্স ডিগ্রি লাভ করেছেন বলে...

বাঃ খুব ভালো।

মিস চ্যাটার্জি আপনাকে কাশী ঘুরিয়ে দেখাবেন ; আশা করি, উনি আপনার সব প্রশ্নের জবাব দিতে পারবেন।

মিস চ্যাটার্জির মতো গুণী মেয়ে যখন আমার সঙ্গে থাকবেন, তখন আর চিন্তা কী?

মিস চ্যাটার্জি হাসতে হাসতে বলেন, মিস ফস্টার, প্লিজ আমাকে গুণী বলবেন না।

ঠিক আছে, আপনাকে গুণী বলব না, বলব, আপনি অনেক জানেন।

ওর কথায় তিনজনেই হেসে ওঠেন।

স্টেশনের বাইরে আসতে আসতে অ্যাঞ্জেলিনা বলে, আমি রামকৃষ্ণ মিশনেই থাকব তো?

হ্যাঁ।

মিঃ মিশ্র সঙ্গে সঙ্গে বলেন, কলকাতায় গোলপার্ক ইনস্টিটিউট থেকে এখানকার মিশনের সেক্রেটারি মহারাজের কাছে আপনার জন্য একটা ভি. আই. পি ঘর রাখার জন্য অনুরোধ এসেছে। আবার আমরাও সেক্রেটারি মহারাজকে একই অনুরোধ জানিয়ে চিঠি দিয়েছি।

উনি সঙ্গে সঙ্গেই বলেন, এই শহরে ভারত সরকারের নিজস্ব হোটেল আছে ; আপনি সেখানেই উঠছেন না কেন?

অ্যাঞ্জেলিনা একটু হেসে বলে, মিশনের পবিত্র পরিবেশ কি কোনো হোটেলে পাওয়া সম্ভব?

না, তা না কিন্তু হোটেলে তো নানারকম সুবিধা পাওয়া যায়।

আমি ভারতবর্ষের চিরন্তন শাশ্বত রূপ জানতে ও দেখতে এসেছি ; ধনী টুরিস্টদের মতো হোটেলে স্ফূর্তি করতে ভারত ভ্রমণে আসিনি।

কথায় কথায় গাড়ি রামকৃষ্ণ মিশনে পৌঁছয়। সম্পাদক মহারাজ অ্যাঞ্জেলিনাকে অভ্যর্থনা করেন ; অ্যাঞ্জেলিনা ওকে প্রণাম করে।

মিস চ্যাটার্জিও মহারাজকে প্রণাম করেন। মহারাজ ওর মাথায় হাত দিয়ে আশীর্বাদ করে বলেন, জয়ন্তী, ভালো আছো?

হ্যাঁ, মহারাজ, ঠাকুরের কৃপায় ভালোই আছি।

মিঃ মিশ্র বিদায় নিতেই অ্যাঞ্জেলিনা মিস চ্যাটার্জিকে নিয়ে ঘরে যান।

ঘরের তিন দিকে ঠাকুর, শ্রীশ্রীমা আর স্বামীজির ছবি। তাছাড়া ধূপ জ্বলছে। ধবধবে সাদা চাদর পাতা বিছানায় ঝপ্ করে বসে পড়েই একবার বুক ভরে নিশ্বাস নিয়ে অ্যাঞ্জেলিনা হাসতে হাসতে বলে, মিস্ চ্যাটার্জি, আপনিই বলুন, এইরকম স্নিগ্ধ পবিত্র পরিবেশ কি কোনো হোটেলে পাওয়া সম্ভব?

অসম্ভব।

অ্যাঞ্জেলিনা একটু হেসে বলে, আপনার নাম জয়ন্তী?

হ্যাঁ।

আপনি আমাকে 'মিস ফস্টার' বলবেন না, অ্যাঞ্জেলিনা বলবেন আর আমিও আপনাকে জয়ন্তী বলব, আপনার আপত্তি নেই তো?

জয়ন্তী একটু হেসে বলে, বিন্দুমাত্র আপত্তি নেই কিন্তু আপনির বদলে তুমি বললে আরও ভালো হয়।

ঠিক আছে, আমরা দুজনেই দুজনকে তুমি বলব, তাইতো?

হ্যাঁ।

জয়ন্তী সঙ্গে সঙ্গে বলে, চা খাবে?

অ্যাঞ্জেলিনা একটু হেসে বলে, চা পেলে তো ভালোই হয়।

দাঁড়াও, আমি চায়ের কথা বলে আসি।

জয়ন্তী ফিরে আসতেই অ্যাঞ্জেলিনা বলে, জয়ন্তী, বলো, আমাকে কী কী দেখাতে চাও?

আগে বলো, তুমি কী দেখতে চাও।

দু-এক মিনিট চিন্তা করেই অ্যাঞ্জেলিনা বলে, সবচাইতে বড়ো কথা, এখানে বাবা বিশ্বনাথ আছেন।

সে তো সব চাইতে বড়ো কথা।

তারপরই কি গঙ্গার গুরুত্ব?

হ্যাঁ, সত্যিই তাই।

ইতিমধ্যে একজন চা-বিস্কুট দিয়ে যায়।

চা-বিস্কুট খেতে খেতেই অ্যাঞ্জেলিনা ওকে বলে, তুমি আমাকে বাবা বিশ্বনাথের মন্দিরে আর গঙ্গায় নিয়ে যাবে।

হ্যাঁ, নিশ্চয়ই নিয়ে যাব।

জয়ন্তী সঙ্গে সঙ্গে বলে, আমাদের এই শহরটি আরও দু-একটি কারণে বিখ্যাত।

কারণ দুটি বলো।

এখানকার ডাল কা মণ্ডী এলাকায় ভারতের বিখ্যাত বাইজিদের বাস।

বাঈজি?

অবাক হয়ে বলে অ্যাঞ্জেলিনা।

সত্যি কথা বলতে কী ওরা রূপ-যৌবনের ব্যবসা করে কিন্তু ওদের প্রত্যেককে ভালো ঠুংরি গাইয়ে হতে হয়। তাছাড়া ওদের নাচও শিখতে হয়।

ঠুংরি গাইয়ে মানে?

উত্তর ভারতের এক বিশেষ ধরনের ক্ল্যাসিকাল গান।

সংগীত রসিকরা বুঝি ওই বাইজিদের কাছে গান শুনতে নাচ দেখতে যান?

হ্যাঁ যান তবে একা না ; সাধারণত একজন বাবুর সঙ্গে তাঁর দু-একজন স্তাবক-মোসাহেব ছাড়াও দু-চারজন বন্ধুও যান।

তারপর?

গান শেষ হলে রসিক ভদ্রলোককে নিয়ে বাইজি ভিতরে যায় তাকে আনন্দ দেবার জন্য।

চমৎকার।

তবে একটা কথা জেনে রাখো, ক্ল্যাসিকাল সংগীত দুনিয়ায় বেনারসী ঘরানার ঠুংরি গানের বিশেষ সম্মান আছে।

বুঝেছি।

ভারতের সর্বশ্রেষ্ঠ সানাই বাদক উস্তাদ বিসমিল্লা খান এই শহরেরই

মানুষ। একদিন তোমাকে তাঁর কাছে নিয়ে যাব। ওর সান্নিধ্যে তুমি বেশ অনুভব করবে এক মহা সাধকের কাছে এসেছ।

হ্যাঁ, হ্যাঁ ওর কাছে নিশ্চয়ই যাব।

বিশ্বনাথের গলিতে ঢুকেই জয়ন্তী হাসতে হাসতে বলে, বুঝলে অ্যাঞ্জেলিনা, কাশীর গলিকে বলা হয় শিবের জটা।

অ্যাঞ্জেলিনাও একটু হেসে বলে, হ্যাঁ, ঠিকই বলা হয়।

এই সরু গলিতে এত লোকজন দেখে অ্যাঞ্জেলিনা বলে, জয়ন্তী, আমাদের সামনে-পিছনে যাদের দেখছি, তারা কি সবাই বিশ্বনাথের মন্দিরে যাবেন।

জয়ন্তী একবার খুব ভালো করে ওদের দেখার পর বলে, কিছু লোক এই গলিরই বাসিন্দা ; বাকি সবাই বিশ্বনাথের মন্দিরে যাবে বলেই তো মনে হচ্ছে।

মন্দিরের কাছাকাছি পৌঁছেই অ্যাঞ্জেলিনা অবাক হয়ে বলে, জয়ন্তী, এখনও এত ভিড়?

জয়ন্তী একগাল হেসে বলে, এই ভিড় দেখেই অবাক হচ্ছ! সাধারণ সোমবারেই তো এর চারগুণ ভিড় হয়। তিথি-পার্বণের দিনের ভিড় দেখলে তো তোমার মাথা ঘুরে যাবে।

সত্যিই কি অত ভিড় হয়?

হ্যাঁ, সত্যি বিশেষ বিশেষ তিথি-পার্বণের দিনগুলোর ভিড় দেখলে তুমি অবাক হতে বাধ্য।

তাছাড়া আরও একটা জিনিস কি তুমি লক্ষ্য করেছ?

কী?

আমাদের আশেপাশের লোকজন কত ভাষায় কথা বলছে, তাই না?

জয়ন্তী না হেসে পারে না। বলে, সারাদেশের মানুষ যেখানে আসে, সেখানে তো নানা ভাষায় কথা হবেই।

তারপর মন্দিরে পৌঁছে ভক্তদের প্রায় কাঁদতে কাঁদতে বাবা বিশ্বনাথের মাথায় দুধ আর ফুল দিতে দিতে আকুল প্রার্থনা শুনেই অ্যাঞ্জেলিনা অনুভব করে এই দেশের মানুষের দেব-ভক্তি ও বিশ্বাস।

মন্দির থেকে বেরিয়েই অ্যাঞ্জেলিনা বলে, আচ্ছা জয়ন্তী, এই যে অগণিত ভক্ত বিশ্বনাথের কাছে নানা কারণেই আকুল প্রার্থনা করছে, তারা কি সত্যি বিশ্বাস করে, বিশ্বনাথ তাদের দুঃখ দূর করবেন?

হ্যাঁ, নিশ্চয়ই বিশ্বাস করে।

তুমি নিজেও তো বিশ্বাস করো?

আমার কথা বাদ দাও। বাবা বিশ্বানাথের প্রতি এই যে অগণিত মানুষের বিশ্বাস, তার তো নিশ্চয়ই একটা কারণ আছে। শূন্যে বা মিথ্যার কারণে এই বিশ্বাস কখনোই সৃষ্টি হতে পারে না।

তুমি ঠিকই বলেছ।

অ্যাঞ্জেলিনা, তুমি ভাবতে পারো, সারা দেশ থেকে কত দীন দুঃখী সংসারের জ্বালাযন্ত্রণা সহ্য করতে না পেরে কাশীতে ছুটে আসে, বাবা বিশ্বনাথের পুণ্যতীর্থে মৃত্যুবরণ করার জন্য?

কী বলছ তুমি?

হ্যাঁ, আমি ঠিকই বলছি।

অনেকে সংসার ত্যাগ করে এখানে মরতে আসে?

হ্যাঁ, আবার বলছি, সত্যি অনেকে এখানে মরতে আসে ; তাদের অন্তিম ইচ্ছা, তাদের মরদেহ যেন মণিকর্ণিকার মহাশ্মশানে পঞ্চভূতে বিলীন হয়।

জয়ন্তী মুহূর্তের জন্য থেমেই বলে, হাজার হোক, তুমি পাশ্চাত্য দেশের মেয়ে ; তোমার পক্ষে এইসব বিশ্বাস করা কঠিন। তুমি কি এই ধরনের দু-চারজন মানুষের সঙ্গে আলাপ করতে চাও?

হ্যাঁ, তা করতে পারি।

বিশ্বনাথের গলি থেকে বেরিয়েই বাঁ-দিকে ঘুরে জয়ন্তী বলে, চলো, দশাশ্বমেধ ঘাটের দিকে যাই।

ওর সঙ্গে পায়ে পায়ে এগিয়ে যেতেই অ্যাঞ্জেলিনা বলে, হ্যাঁ, চলো।

একটু দূর থেকেই রাস্তার উপর বসে থাকা মহিলাদের দেখিয়ে জয়ন্তী বলে, যেসব মহিলারা ভিক্ষার জন্য রাস্তায় বসে আছেন, তাঁদের মধ্যে কেউ ধনী পরিবারের, কেউ মধ্যবিত্ত পরিবারের ; ওঁদের মধ্যে শিক্ষিত-অশিক্ষিতদেরও পাবে।

ওরা যখন অনাথ না, তখন বেঁচে থাকার জন্য ভিক্ষা করছেন কেন?

পারিবারিক অশান্তির জন্যই ওঁরা সংসার ছেড়ে...

ওর কথার মাঝখানেই অ্যাঞ্জেলিনা বলে, ওদের সংসারের এমনই অশান্তি হল যে ঘর-সংসার ছেড়ে এখানে এসে ভিক্ষা করে বেঁচে থাকতে হচ্ছে?

হ্যাঁ ; আমাদের দেশে অধিকাংশ পরিবারেই কোনো-না-কোনো অশান্তি লেগেই আছে।

জয়ন্তী সঙ্গে সঙ্গে বলে, তুমি সামনের মহিলার সঙ্গে কথা বলো।

নমস্কার!

ও মাই গড! ইউ নো বেঙ্গলি?

আপনি ইংরেজি জানেন?

বৃদ্ধা ভিখারিনী একগাল হেসে বলেন, আই ওয়াজ এ ইংলিশ টিচার ইন এ হায়ার সেকেন্ডারি স্কুল ফর থার্টি ইয়ার্স।

কী বলছেন আপনি?

আমি ঠিকই বলছি। আপনি একটু দাঁড়ান ; দুএকটা জিনিস দেখাব।

কী দেখাবেন?

প্লিজ একটু ধৈর্য ধরুন।

একটু পরেই উনি ওর ময়লা কাপড়ের থলি থেকে একটা পত্রিকা বের করে বলেন, প্লিজ এই ছবিটা দেখুন তো।

ছবিটা দেখেই অ্যাঞ্জেলিনা হাসতে হাসতে বলে, এই তো সামনের সারিতেই আপনি বসে আছেন।

আমার নাম রেখা রায়, তা কি বুঝতে পারছেন?

হ্যাঁ, ছবির ক্যাপশনেই আপনার নাম দেখছি।

প্লিজ এবার টিচারদের নামগুলো দেখুন।

এই কথা বলেই রেখা রায় টিচারদের নামের পাতাটা বের করে দেন।

হ্যাঁ, হ্যাঁ, এই তো আপনার নাম...আপনি ইংরেজি নিয়ে এম. এ পড়ে বি. এড হয়েছেন?

হ্যাঁ।

কী আশ্চর্য! আপনি এখানে রাস্তায় বসে ভিক্ষা করছেন?

ছেলে আর পুত্রবধূর নীচতা সহ্য করতে না পেরে সব ছেড়ে এখানে বাবা বিশ্বনাথের কাছে এসেছি।

কিন্তু...

রেখা রায় অত্যন্ত প্রসন্নতার সঙ্গে বলেন, বাবার কৃপায় আমি বেশ শান্তিতেই দিন কাটাচ্ছি।

সত্যি আপনি এখানে ভালো আছেন?

হ্যাঁ, ভাই, সত্যিই এখানে আমি ভালো আছি। বাবা বিশ্বনাথের কৃপায় এখানে কোনো অশান্তি নেই।

হঠাৎ জয়ন্তী ওকে বলে, আপনি তো পেনশ্‌ন পান।

হ্যাঁ, পাই কিন্তু সে টাকা আমি একা উপভোগ করি না। আমার ছোটো বোনের সংসারে বড়োই টানাটানি ; তাই পেনশনের অর্ধেক টাকা সে পায়।

আর বাকি অর্ধেক আপনি পান?

হ্যাঁ।

রেখা রায় সঙ্গে সঙ্গে বলেন, আমার পাশে যে পাঁচজন বসে আছে, আমি তাদের সঙ্গেই থাকি। ওরা সংসার থেকে বিতাড়িত, বড়োই অসহায়, বড়োই দুঃখী। আমার পেনশনের অর্ধেক টাকা আর ভিক্ষার টাকায় বাবা বিশ্বনাথের কৃপায় আমরা মোটামুটি ভালোই আছি।

এবার উনি একটু হেসে বলেন, আর কিছু পাই আর না পাই, আমরা শান্তিতেই আছি।

হ্যাঁ, বড়দি, ঠিক বলেছ।

রেখা রায় বলেন, ওই মেয়েটি হচ্ছে, মালা। বিয়ের পাঁচ বছর পরেও মা হতে পারেনি বলে শাশুড়ি ঠাকরুন ওকে বাড়ি থেকে বের করে দিয়েছেন।

অ্যাঞ্জেলিনা একটা চাপা দীর্ঘশ্বাস ফেলে বলেন, ওরা কেউ কোনো কাজ করে না?

হ্যাঁ, আমরা সবাই কিছু না কাজ করি। দুজনে কোচবিহার কালীবাড়িতে পুজোর বাসন মাজে আর পুরো মন্দির চত্বর পরিষ্কার-পরিচ্ছন্ন করে। আর ওদের তিনজনই তিন বাড়িতে বাসন মাজে আর ঘরদোর পরিষ্কার করে।

আর আপনি কী করেন?

রেখা রায় একটু হেসে বলেন, আমি একটা মেয়েকে পড়ানো ছাড়া অনেকের চিঠিপত্র লিখে দিই।

অ্যাঞ্জেলিনা অবাক হয়ে বলে, অন্যের চিঠি আপনি লিখে দেন?

হ্যাঁ।

কেন? ওরা নিজেরা লিখতে পারে না?

আনফরচুনেটলি ওদের অনেকেই লিখতে পারে না আর কজন বুড়ি লিখতে পারে না চোখ খারাপ বলে।

চারপাশে যতজনকে ভিক্ষা করতে দেখছি, তারা সবাই কি কিছু না কিছু কাজ করে?

না। অনেকেই শারীরিক কারণে কাজ করতে পারে না ; কিছু মেয়ে কাজ করে না, অতীতে কাজ করতে গিয়ে বিপদে পড়েছে বলে।

রেখা রায় সঙ্গে সঙ্গে বলেন, অনেকে নিছক কুঁড়েমির জন্য কোনো কাজ করে না।

কাজ না করলেও বাবা বিশ্বনাথের কৃপায় ওদের ঠিকই দু-মুঠো অন্ন জুটে যায়।

এখানে কেউ না খেয়ে মরে না?

কোনো শত্রুও বলতে পারবে না, বাবা বিশ্বনাথের কাছে এসে দু-মুঠো খেতে পায় না।

জয়ন্তী অ্যাঞ্জেলিনার দিকে তাকিয়ে বলে, এদের কাছে আর কিছু জানতে চাও?

না।

তাহলে চলো দশাশ্বমেধ ঘাটে যাই।

হ্যাঁ, চলো।

দশাশ্বমেধ ঘাটে পৌঁছে অ্যাঞ্জেলিনা অবাক না হয়ে পারে না। কী আশ্চর্য! সবাই এক-একবার গঙ্গায় ডুব দিয়েই কত কী প্রার্থনা করছে গঙ্গা মায়ের কাছে। স্নানের পর দু-হাত জোড় করে সূর্যকে প্রণাম করেই বেশ আকুল হয়েই বলে, জয় বাবা বিশ্বনাথ। আবার অনেকে গঙ্গাজলে দাঁড়িয়েই মনে মনে মন্ত্র পড়ে কার যেন পুজো করেন। গঙ্গাস্নানের পর সিঁড়ি দিয়ে উঠতে

উঠতে সব নারী-পুরুষের মুখেই এক প্রার্থনা — বাবা বিশ্বনাথ, কৃপা করো।

বেশ কিছুক্ষণ এই দৃশ্য দেখার পর অ্যাঞ্জেলিনা বলে, আচ্ছা জয়ন্তী, এখন এত বেলাতেও এত মানুষ গঙ্গায় স্নান করছেন ; কখন থেকে, মানে সকাল কটা থেকে ভক্তরা এখানে স্নান করতে আসেন ও কত বেলা পর্যন্ত এই স্নান পর্ব চলে।

ওর কথা শুনে জয়ন্তী না হেসে পারে না।

তারপর হাসি থামিয়ে বলে, তুমি শুনলে অবাক হবে যে সারা দিনরাতই এই দশাশ্বমেধ ঘাটে ভক্তরা স্নান করতে আসেন।

কী বলছ তুমি?

আমি সত্যি কথাই বলেছি।

এখন তো শীতকাল ; এখনও রাত দুটো-তিনটেতে লোকে গঙ্গা স্নান করতে আসে?

জয়ন্তী একটু হেসে বলে, জানি তোমার বিশ্বাস করতে কষ্ট হচ্ছে কিন্তু তবু বলছি, সারারাত ধরেই এখানে মানুষ আসে, স্নান করে, মা গঙ্গা আর বাবা বিশ্বনাথের কৃপা ভিক্ষা করে।

যাইহোক মিশনে ফিরে মহারাজকে জয়ন্তীর কথা বলে ; তারপর বলে, মহারাজ, সত্যি কি সারারাত ধরে মানুষ দশাশ্বমেধ ঘাটে স্নান করতে যায়?

হ্যাঁ, জয়ন্তী ঠিকই বলেছে।

এখন তো এখানে যথেষ্টই ঠান্ডা ; তারপর বেশি রাত্রে তো খুবই ঠান্ডা। তখন গঙ্গাস্নান করে অসুস্থ হয় না ওইসব ভক্তের দল?

মহারাজ একটু হেসে বলেন, না, মা, কেউ অসুস্থ হয় না বাবা বিশ্বনাথের কৃপায়।

মহারাজ, আমি কি কাল বা পরশু শেষ রাত্তিরের দিকে দশাশ্বমেধ ঘাটে যেতে পারি?

হ্যাঁ, নিশ্চয়ই পারো।

আমি মিশ্রকে বলে গাড়ির ব্যবস্থা করে বলব, কবে তুমি শেষ রাত্তিরের দিকে দশাশ্বমেথ ঘাটে যেতে পারো।

আপনি বা অন্য মহারাজ কি আমার সঙ্গে যেতে পারবেন?

না, মা, কোনো মেয়ের সঙ্গে এক গাড়িতে আমরা যেতে পারি না।

কোনো মেয়ের সঙ্গেই যেতে পারেন না?

নিজের গর্ভধারিণী মা ছাড়া আমাদের মিশনে ঠাকুরের নামে দীক্ষিতা মহিলা আর তার স্বামীর সঙ্গে যেতে পারি।

মহারাজ সঙ্গে সঙ্গেই বলেন, তোমার সঙ্গে যাবার জন্য আমি আমাদের একজন কর্মীকে বলব।

রাত তখন তিনটে।

বিশ-পঁচিশ জনকে স্নান করতে দেখে অ্যাঞ্জেলিনা সত্যি অবাক হয়। সবার কণ্ঠেই ধ্বনিত হচ্ছে 'গঙ্গা মাই কি জয়' আর 'বাবা বিশ্বনাথ কৃপা করো'।

স্নানান্তে দু-চারজন বিদায় নিচ্ছেন কিন্তু সঙ্গে সঙ্গে কয়েকজন আসছেন গঙ্গাস্নান করতে।

কী 'আশ্চার্য'! পুণ্যার্থীদের শোভাযাত্রা চলছেই ; এর কোনো বিরাম নেই। আস্তে আস্তে রাত্রির মেয়াদ ফুরিয়ে আসে ; রাত্রির অন্ধকার পাতলা হয়। শুরু হয় বয়স্ক মহিলাদের আসা ; প্রথমে দু-চারজন, তারপর প্রতি মুহূর্তে তাদের সংখ্যা বাড়ে।

সূর্যোদয় আসন্ন কিন্তু তখনও বাসি রাত্রির অন্ধকার সম্পূর্ণভাবে বিদায় নেয়নি। দশাশ্বমেধ ঘাটে নারী-পুরুষের ভিড় দেখে যেমন অবাক, তেমনই মুগ্ধ হয় অ্যাঞ্জেলিনা।

প্রায় সবাই গঙ্গাজলে দাঁড়িয়েই কত মন্ত্র, কত স্তব বলেন, তারপর প্রণাম করেন সদ্য প্রকাশিত দিবাকরকে। স্নানাদি অন্তে সবার মুখেই গঙ্গা মায়ের জয় আর কৃপা প্রার্থী বাবা বিশ্বনাথের।

অ্যাঞ্জেলিনা শুধু অবাক হয় না, মুগ্ধও হয়।

মিশনে ফেরার পর অ্যাঞ্জেলিনা নিজেই মহারাজকে বলে, আমার মনে হয় না, পৃথিবীর অন্য কোনো দেশের মানুষের মধ্যে এত ঈশ্বরভক্তি আছে। এই দেশ যত দেখছি, আমি তত বেশি ভালোবাসছি আপনাদের দেশকে।

হ্যাঁ, মা, এই দেশ সত্যি বিচিত্র।

এত শীতের মধ্যেও গভীর রাতে বা রাত্রির শেষ প্রহরে 'মা গঙ্গা'

আর 'বাবা বিশ্বনাথের' জয়ধ্বনি দিতে দিতে গঙ্গাস্নান করে, তাদের ঈশ্বরভক্তি দেখে স্তম্ভিত না হয়ে উপায় নেই।

তোমরা স্তম্ভিত হলেও আমরা হই না ; কারণ আমরা ধর্মের জন্য কত কৃচ্ছ্রসাধন করি, তা অন্য ধর্মাবলম্বীদের অনুমান করা খুবই কষ্টকর।

মহারাজ সঙ্গে সঙ্গেই বলেন, এখান থেকে তুমি কোথায় যাবে?

অ্যাঞ্জেলিনা একটু হেসে বলে, গ্র্যান্ডমা ছাড়া আমার কোনো আপনজন নেই ; আমি ছাড়া গ্র্যান্ডমার কোনো আপনজন নেই। তাঁরই জন্য আমি ভারতবর্ষ নিয়ে পড়াশুনা ও গবেষণা করেছি। আর মাসখানেক পরই ওঁর সত্তর বছরের জন্মদিন উপলক্ষে আমাকে অন্তত দু-সপ্তাহের জন্য দেশে যেতে হবে।

হ্যাঁ, এই উপলক্ষে নিশ্চয়ই তোমাকে ওখানে যেতে হবে।

উনি একই নিশ্বাসে বলেন, তুমি এখান থেকে কলকাতা ফিরেই কি দেশে যাবে?

না, মহারাজ, দু-একদিনের জন্য গঙ্গাসাগর মেলা দেখার পরই দেশে যাব।

তুমি কিছুদিন ওখানে থাকার পরই আবার কি এখানে ফিরবে?

হ্যাঁ, নিশ্চয়ই ফিরে আসব।

গঙ্গা মাইকি জয়!

নামখানা থেকে লঞ্চে চেমাগুড়ি যাবার জন্য দীর্ঘ লাইনের হাজার হাজার নারী-পুরুষের কণ্ঠে বার বার ধ্বনিত হচ্ছে 'গঙ্গা মাইকি জয়'!

হাজার হাজার সাধু-সন্ন্যাসী ছাড়াও লক্ষ লক্ষ পুণ্যার্থীকে খুব ভালো করে দেখেই অ্যাঞ্জেলিনা বুঝতে পারে, ভারতবর্ষের নানা অঞ্চলের, নানা ভাষার দীনদরিদ্র থেকে অতুল ঐশ্বর্যের অধিকারী চলেছেন গঙ্গাসাগরে পৌষ সংক্রান্তির পুণ্যতিথিতে গঙ্গা আর সাগরের সঙ্গমে স্নান করে পাপ মুক্ত হতে। তদের সবার মুখেই এক ধ্বনি 'গঙ্গা মাইকি জয়।'

লঞ্চে ওপারে পৌঁছে দীর্ঘ মিছিল চলেছে গঙ্গাসাগরে যাবার জন্য ; তাদের মুখেও এক কথা 'গঙ্গা মাইকি জয়।'

তারপর?

গঙ্গাসাগর।

অ্যাঞ্জেলিনা যেন চোখের সামনে দেখে ভারতবর্ষ।

তারপর?

প্রচণ্ড শীত উপেক্ষা করেই রাত্রির অন্ধকার কাটতে-না-কাটতেই শুরু হয় কয়েক লক্ষ পুণ্যার্থীর সঙ্গমে স্নান ও পুজো। তারপর চলো কপিল মুনির মন্দিরে।

অ্যাঞ্জেলিনা জানে এই দেশ ও ধর্মকে আক্রমণ করেছে এশিয়া ও ইউরোপের কত দেশ, শাসন করেছে যুগ যুগ ধরে আর সর্বশক্তি দিয়ে চেষ্টা করেছে এই ধর্ম-সংস্কৃতিকে ধ্বংস করতে।

আর কী?

তারা ধ্বংস করেছে শত শত মন্দির, লুঠ করেছে অভাবনীয় ঐশ্বর্য।

না, পারেনি ; তবু তারা ব্যর্থ হয়েছে বার বার।

কী করে পারবে? যে দেশে ধর্ম-সংস্কৃতির ধারা প্রতিটি ভারতবাসীর রক্তে বয়ে চলেছে, সে দেশের ধর্ম-সংস্কৃতি ধ্বংস করা অসম্ভব।

কলকাতা ফিরে অ্যাঞ্জেলিনার কাছে তার কাশী আর গঙ্গাসাগরের অভিজ্ঞতা শুনে বড়ো মহারাজ একটু হেসে বলেন, যে মেয়ের অন্তরে আমাদের ধর্ম-সংস্কৃতির প্রতি এত শ্রদ্ধা আর মমত্ব, আমি তার নাম রাখলাম অঞ্জলি।

উনি হাসতে হাসতেই বলেন, তুমি তো নিজেকেই অঞ্জলি দিয়েছ আমাদের ধর্ম-সংস্কৃতির পাদপদ্মে।

বড়ো মহারাজ একবার বুক ভরে নিশ্বাস নিয়ে বলেন, সব শেষে তোমাকে আরো একটা কথা বলতে চাই। শরতকালের এক পুণ্যতিথিতে আমরা জলদান করে শ্রদ্ধা জানাই, বিগত মা-বাবাকে, সমস্ত আত্মীয়-স্বজনকে, পাড়া প্রতিবেশীদের, গ্রাম-দেশ ও সর্বোপরি সমস্ত দুনিয়ার সব বিগত মানুষদের।

কী বলছেন মহারাজ? আমরা তো 'অল সোলম্ ডে'-তে শুধু নিজেদের প্রিয়জনদের কবরে ফুল দিই, মোমবাতি জ্বালাই আর আপনারা...

ওকে কথাটা শেষ করতে না দিয়েই বড়ো মহারাজ একটু হেসে বলেন, আমরা ব্রহ্মা থেকে সামান্য তৃণরাজির জন্য জলদান করে বলি, ভালো

থেকো।

আঞ্জেলিনার মুখে আর কথা নেই।

প্রবীণ বিজ্ঞ মহারাজ বলেন, আমাদের উপনিষদ তাই তো বলেছে—বসুধৈব কুটম্বকম্।

পৃথিবীর সবাই আমাদের আত্মীয়।

মুগ্ধ অ্যাঞ্জেলিনা ওকে প্রণাম করে।

বড়ো মহারাজ ওর মাথায় হাত দিয়ে বলেন, মা, তোমার মনের এই মঙ্গলদীপ যেন শত-সহস্র মানুষের মনের অন্ধকার দূর করে। ঠাকুর তোমার কল্যাণ করুন।

—